# UN STUDIO SOUS LES TOITS

❮ GUDULE ❯

# UN STUDIO SOUS LES TOITS

Flammarion

Ça y est, ils ont signé ! Je n'arrive pas à y croire tellement c'est merveilleux !

J'ai (presque !) mon studio. Enfin... je l'aurai dans trois
ans, *ssi* tout se passe bien. J'adore la façon dont papa
prononce ce *ssi*, en traînant sur le *s*, l'index pointé vers
le plafond. Et ses conditions, je les connais par cœur, il
me les a répétées mille fois : *ssi* je ne fais pas trop de
bêtises d'ici ma majorité, et *ssi* j'ai mon BAC. OK, p'pa,
on va essayer...

Un studio pour moi toute seule... Ouahou ! Le bonheur !

Il y avait des mois que mes parents en parlaient.
Depuis que la concierge nous a fait visiter cette
chambre de bonne inoccupée, tout en haut de l'immeuble. Le propriétaire venait de mourir, et son fils,
qui vivait à l'étranger, liquidait l'héritage pour une
bouchée de pain.

Au début, maman n'était pas emballée. Elle ne voulait pas acheter « ce trou à rats », comme elle disait. Mais papa lui a expliqué qu'un trou à rats, ça se retapait.

— On peint tout en blanc et on ponce le parquet. Dans ce petit coin, on installe une douche et là, dans le renfoncement, une mini-cuisine fermée par des portes de placard. Un canapé-lit ici, une grande étagère sur ce mur...

Il dessinait les objets dans l'espace, et hop ! ça transformait tout. Je ne sais pas ce que maman ressentait, mais moi, je voyais *ma douche, ma cuisine, mon canapé*.

C'est une sorte de magicien, mon père. Quand j'étais petite et qu'il me racontait des histoires, il faisait la même chose : ses mains volaient dans tous les sens, et les lutins, les monstres, les extraterrestres apparaissaient.

— Ce sera formidable, pour Lucie ! Rends-toi compte : elle aura son indépendance tout en restant près de nous !

Y a des arguments auxquels aucune mère ne peut résister. La mienne a fini par craquer. Et moi, je me suis mise à rêver.

Papa fera les travaux lui-même, pendant ses moments de loisir.

— Je m'en vais te bricoler un p'tit nid du tonnerre ! m'a-t-il promis.

Pour ça, je lui fais confiance...

Ce qui me plaît surtout, c'est la grande lucarne, au plafond. La nuit, en se couchant en dessous, on peut compter les étoiles !

( S O I R )

Souad est verte de jalousie. Tout à l'heure, je l'ai emmenée visiter mon studio, et papa, qui avait pris son après-midi pour aller chez le notaire, lui a refait la démonstration : douche, cuisine, canapé-lit, etc. Il est tout excité, on dirait un gamin devant un nouveau jouet. Il prend des mesures, trace des plans, consulte des catalogues, calcule le prix des matériaux... À ce train-là, dans trois mois, le « p'tit nid » sera flambant neuf !

Souad trouve que j'ai une chance folle. C'est aussi mon avis. Mes parents sont cool dans l'ensemble, même si, parfois, ils me tannent (pour mes études en particulier). Tout le monde ne peut pas en dire autant. Souad, par exemple, a sans arrêt les siens sur le dos.

Les jours de congé, ils ne lui permettent même pas de mettre le nez dehors : faut qu'elle s'occupe de ses petits frères et du ménage. Bonjour la détente !

Je lui ai dit que plus tard, si elle en avait marre, elle n'aurait qu'à venir habiter chez moi. Y aura assez de place pour deux, dans mon p'tit nid !

À moins qu'entre-temps je ne trouve un garçon génial pour le partager, évidemment ! Mais je ne me fais pas trop d'illusions, les garçons géniaux, ça ne court pas les rues ! En tout cas, c'est pas au bahut que je le rencontrerai : tous des crétins ! À commencer par Space... Celui-là, le jour où j'ai accepté de sortir avec lui, j'aurais mieux fait de me casser une jambe ! J'ai beau lui répéter que c'est fini entre nous, pas moyen qu'il me lâche les baskets !

Space veut qu'on se voie, cet aprèm, au square, pour mettre les choses au point. Il ne comprend pas pourquoi je veux le larguer. Ce n'est pas très compliqué, pourtant : je ne suis pas amoureuse de lui. J'aurais jamais dû le laisser me draguer à la boum de Rachel !

### (PLUS TARD)

Pfff, pénible, la « mise au point » avec le père Space ! En fait, il était convaincu que j'avais quelqu'un en vue et voulait savoir qui. Qu'on quitte un mec tout simplement parce qu'il n'est pas *le* mec, le bon, celui qui vous met sens dessus dessous, ça lui semblait bizarre. Fallait forcément que ce soit pour se jeter dans les bras d'un autre. À la limite, ça le choquait que je veuille redevenir célibataire.

9

— Puisque t'as personne, reste avec moi en attendant ! Qu'est-ce que tu risques ?

Il est incroyable, lui ! À l'entendre, j'aurais dû continuer à être sa copine sans rien éprouver, juste comme ça, pour passer le temps. Merci bien ! Je ne sais pas comment fonctionnent les garçons dans ce domaine, mais nous, les filles, ce genre de truc, c'est pas notre trip. Sauf Léa, mais elle, faut toujours qu'elle frime. Plus elle emballe, plus elle se croit supérieure !

— Tu ne ressentais rien, quand je t'ai embrassée chez Rachel ? m'a demandé Space.

Il avait l'air si malheureux que je n'ai pas osé lui avouer la vérité : ce soir-là, je n'étais pas dans mon état normal. Je serais sortie avec n'importe qui, le premier qui se serait présenté. En fait, j'étais venue à cette boum pour Miguel, et lui n'avait dansé qu'avec Jeanne. Dé-goû-tée, j'étais ! Par la suite, je me suis rendu compte que je n'avais pas perdu grand-chose, mais cette fois-là mon moral en avait pris un coup. Fallait bien que je compense !

Expliquer ça à Space, je n'en avais pas le courage. Je ne me sentais pas le droit de bousiller ses souvenirs. C'est qu'il y avait cru, lui, à notre histoire !

J'ai donc menti. J'ai dit que si, bien sûr, chez Rachel, ses baisers m'avaient plu. À cause de l'ambiance, surtout. Dans les fêtes, on n'est pas vraiment soi-même, on a tendance à se laisser aller. Et, forcément, on commet des erreurs...

Il m'a lancé un drôle de regard.

— T'as mis combien de temps pour réaliser que c'était une « erreur » avec moi ?

— Ben... dès le lendemain...

— Pourquoi t'as attendu si longtemps avant de me jeter, alors ?

Je l'aurais giflé !

— Eh, c'est toi qui t'accroches, je te signale ! Je t'en parle depuis avant Pâques !

Enfin, là, je crois que tout est clair. On a décidé de rester en bons termes. C'est pas parce qu'on n'est plus ensemble qu'il faut se détester. J'ai horreur des couples qui se tirent la tronche pendant des mois ou, pire, qui font courir des ragots sur leurs exs, comme Laurie et Sami, cet hiver. La classe était carrément divisée en deux clans, à cause d'eux. Et les coups volaient bas ! Pfff, raconter des saletés sur quelqu'un juste parce qu'on ne l'aime plus, je trouve ça franchement immonde !

Rien de ce genre entre Space et moi, on est bien d'accord là-dessus. Mais n'empêche, les ruptures, quelle angoisse !

Après notre discussion, on n'a pas quitté le square du même côté. Space a pris vers la place Jean-Jaurès, moi vers la rue des Roses. Il shootait dans les branches mortes, tout en marchant. Et de le voir s'éloigner de dos, tout maigre, un peu voûté, avec sa casquette de traviole et ces coups de pied rageurs qu'il donnait devant lui, je me sentais affreusement coupable.

Une chance, quand je suis rentrée, le camion de chez Bricorama stationnait devant l'immeuble, et papa le déchargeait avec le livreur. Je leur ai filé un coup de main. On a transporté une tonne de matériel au sixième étage — sans ascenseur, pfff, pfff ! —, et ça a suffi pour que j'oublie tous mes problèmes. Avec ces allées et venues, ces entassements d'outils, ces sacs de plâtre, ces pots de peinture, mon studio se met à vivre !

J'ai hâte d'être trois ans plus vieille pour l'occuper !

Papa a commencé le chantier. Il a retiré tous les morceaux qui ne tenaient plus, au plafond et sur les murs. Maman et moi, on a rempli des sacs-poubelle pour descendre les gravats à la benne. C'est dingue, comme boulot, de refaire un appart ! Même un tout petit !

# LE 26 AVRIL >>>

J'ai vécu une aventure incroyable, aujourd'hui. Il n'y a
vraiment qu'à moi que des choses pareilles arrivent !
Tout à l'heure, après le bahut, on traînait, Souad et
moi, place Jean-Jaurès, quand on a vu passer un chien,
visiblement perdu. Moi, j'adore les chiens. Je rêve d'en
avoir un, mais mes parents ne veulent pas : ils pensent
qu'en appart ce n'est pas raisonnable.
Le chien ne savait pas où aller, ça se remarquait du
premier coup d'œil. Il traçait dans un sens, puis faisait
demi-tour, revenait en arrière, repartait. En plus, il
traversait n'importe comment.
— Il va se faire écraser, j'ai dit à Souad. Faut l'attraper !
On s'y est mises à deux, mais ce n'était pas facile. Nos
manœuvres d'approche ont achevé de l'affoler et il
s'est enfui en direction de la zone industrielle.
Heureusement, par là, y a peu de circulation. On l'a
poursuivi pendant un bon quart d'heure, avant de          **15**

parvenir à le coincer dans la petite impasse derrière l'imprimerie.

— Et maintenant, qu'est-ce qu'on fait ? a demandé Souad.

— On le capture, tiens, cette question !

— Et s'il mord ?

Évidemment, c'était un risque. Le chien, acculé contre le mur du fond, grognait pour nous tenir à distance.

— Je suis sûre qu'il n'est pas méchant... Il cherche juste à nous impressionner...

— Moi, je ne m'y fierais pas !

— Normal : t'aimes pas les bêtes !

Je me suis doucement approchée du chien. Je lui parlais. Parler aux animaux, ça les rassure toujours.

— Gentil... gentil... Oui, t'es beau... N'aie pas peur, je ne te veux pas de mal...

Souad m'a signalé que j'avais l'air débile. Les mémères à toutous, elle ne supporte pas. N'empêche, ça a marché. Au bout d'un moment, le chien a cessé d'être menaçant. Il se contentait de haleter, les oreilles couchées en arrière, la truffe palpitante. J'ai allongé la main vers lui.

— Gaffe ! a soufflé Souad.

Il s'est laissé caresser sans protester, il a même remué la queue. C'est en glissant les doigts sous son collier que j'ai senti la médaille, cachée dans les poils. Une médaille avec un numéro de téléphone.

Ben voilà, ça solutionnait tout !

— Je vais le ramener chez moi et j'appellerai son maître pour qu'il vienne le rechercher, j'ai dit.

— Tes parents seront d'accord ?

— Bien sûr, y a aucun mal à rendre service... D'ailleurs, ils ne rentrent pas avant sept heures du soir. D'ici là, tout sera arrangé.

— Mais comment tu vas l'emmener ? T'as pas de laisse.

— Ben... je le porterai...

Ça n'a pas été nécessaire. À tout hasard, j'ai lancé :

— Allez, viens !

Et, miracle ! le chien m'a suivie docilement. Ah, j'étais fière de moi, je peux bien l'avouer. É-pa-tée, la mère Souad !

La première chose que j'ai faite, en rentrant, c'est de lui donner à boire (au chien, pas à Souad !). Il était mort de soif. Puis j'ai téléphoné.

Une voix de garçon m'a répondu :

— Allô ?

— Je vous appelle à propos de votre chien...

**17**

— Cosette ? Vous l'avez trouvée ?

— Ah, c'est une femelle ? Une sorte de... de petit labrador avec des poils brun clair, c'est ça ?

— Ouais... Elle n'a rien ?

— Non, ça va... Je l'ai récupérée, vous venez la chercher ?

Y a eu un long silence à l'autre bout du fil. J'ai cru que la communication avait été coupée.

— Allô ? Vous êtes toujours là ?

— Oui... Écoutez, il faut que je vous dise... Vous... vous ne voulez pas la garder ?

Si je m'attendais à ça !

— C'est pas possible ! j'ai protesté. Mes parents...

— Je vous en prie... Elle ne doit pas revenir ici...

— Mais pourquoi ?

J'ai entendu comme un brouhaha dans l'écouteur.

— Je ne peux pas vous expliquer maintenant, rappelez-moi plus tard... a chuchoté mon correspondant. Mais s'il vous plaît... s'il vous plaît... occupez-vous d'elle...

Et il a raccroché.

Pfff, j'étais dans de beaux draps !

Cosette parcourait la pièce en flairant partout, c'est comme ça que les chiens s'approprient les lieux. Elle semblait déjà complètement à l'aise. J'ai crié son nom, elle est venue tout de suite. Elle a même posé ses pattes avant sur mes genoux, avec un petit jappement amical.

— Je ne peux quand même pas te jeter dehors, je lui ai dit. D'ailleurs, t'es adorable, tu ne devrais pas nous poser trop de problèmes... Mais comment convaincre papa et maman ?

On aurait dit qu'elle comprenait. Ses yeux noirs pétillaient dans sa fourrure marron. Ils faisaient plus que pétiller, d'ailleurs, ils parlaient. Ils cherchaient à communiquer, avec une intensité bouleversante. Je crois que c'est à ce moment-là que j'ai vraiment commencé à m'attacher à elle...

Fallait que je trouve un moyen de la garder. Au moins un jour ou deux, jusqu'à ce que je tire l'affaire au clair ! J'ai attendu le retour de mes parents sur des charbons ardents.

« Pourvu qu'ils acceptent, je me disais. Pourvu qu'ils acceptent ! » J'aurais donné dix ans de ma vie, pour ça !

Leur tête, en voyant Cosette !

— D'où vient cet animal ? s'est écrié papa.

J'ai raconté toute l'histoire, mais sans parler de la médaille. D'ailleurs, j'avais pris la précaution de la lui **19** retirer. Son maître avait confiance en moi, pas question que je le déçoive. Repenser à lui, à son embarras, à sa voix étranglée, me donnait la chair de poule...

Une chance : mes parents ont du cœur. Rejeter un chien perdu à la rue, c'est pas leur genre. Maman a cédé la première : elle a été chercher le reste du pot-au-feu dans le frigo et le lui a donné. Cosette s'est jetée dessus et a tout liquidé en moins de deux. Pendant ce temps-là, papa appelait le commissariat. On lui a répondu qu'aucun chien n'avait été réclamé (évidemment !), mais que ça pouvait encore venir (hum hum !). Il a laissé nos coordonnées, pour le cas où les propriétaires se manifesteraient, puis il a demandé à maman :

— Qu'est-ce qu'on fait, maintenant ?

C'est alors que Cosette a eu un coup de génie. Elle les a regardés en gémissant, la tête penchée de côté, un bout de carotte pendouillant aux moustaches. Je ne connais personne qui résiste à ça. Papa a éclaté de rire, maman a eu un sourire attendri. C'était gagné.

Voilà. En ce moment, la chienne dort dans la cuisine. On lui a mis un coussin sous le radiateur et elle s'y est installée sans faire de manières. Y a pas de doute là-dessus, c'est une bête bien élevée.

En toute logique, je devrais faire des bonds de joie :
mon souhait de toujours est sur le point de se réaliser.
Sauf que Cosette n'est pas à moi et ne le sera peut-être
jamais. Elle appartient au mystérieux garçon du téléphone, qui a l'air d'y tenir, lui aussi. Hyper-glauque,
comme situation, non ?

Enfin, demain, je le rappellerai. J'espère qu'après, tout
s'arrangera !

**(ENTRE DEUX COURS)**

Je viens de louper mon contrôle d'histoire. Avec les événements d'hier, j'avais complètement oublié de réviser. On ne peut pas être partout à la fois !

Ça va encore chier des bulles, à la maison. Heureusement, on ne saura pas les résultats avant la semaine prochaine. D'ici là, y aura sûrement du nouveau dans l'affaire Cosette. J'attends ce soir avec impatience, pour être fixée.

**(17 H 30)**

Bon, ben moi, j'en ai marre ! Qu'ils aillent tous se faire voir, je garde Cosette, point. Je ne veux plus me prendre la tête pour des gens que je ne connais même pas !

Faut dire, quand je suis rentrée du bahut, elle m'a fait une de ces fêtes, la Cosette ! Et que je te saute dans les jambes, et que je couine, et que je te lèche les mains comme une folle ! J'ai jamais rencontré un animal aussi affectueux, même la vieille Princesse de mamie !

Moi, ça me fendait le cœur qu'elle se soit attachée aussi vite et aussi fort. Parce que après, si on est séparées...

Pendant un moment, j'ai eu la tentation de ne pas rappeler le mec. Rien ne m'empêchait de perdre son numéro de téléphone, après tout. C'est le seul lien qui relie Cosette à son passé... Plus de trace de son ancienne vie, de ses anciens maîtres ; la chienne était à nous pour de bon.

Je pouvais le faire, si je voulais. Mais je me suis dit que ce serait vache. Parfois, je suis un peu conne, moi, avec mes scrupules !

J'ai donc rappelé au fameux numéro. Une voix bizarre m'a répondu. Une voix d'adulte tout éraillée, qui bredouillait je ne sais trop quoi. Ça m'a prise de court : je ne savais pas qui demander, je ne connaissais pas le nom du garçon d'hier.

Comme je ne disais rien, le type, au bout du fil, s'est énervé. Il a commencé à lancer des insultes. J'ai compris qu'il était bourré et j'ai raccroché aussi sec. J'avais comme un goût de vomi dans la bouche.

Ma décision est ferme et définitive : ces gens, je ne les rappellerai plus. De toute façon, ils n'ont pas notre adresse et ignorent qui nous sommes. Ils n'ont aucun moyen de nous retrouver pour nous reprendre la chienne... D'ailleurs, ils n'en veulent plus, le garçon me l'a dit et répété.

Du coup, je me suis sentie libérée. Les parties de câlins qu'on s'est payées, avec Cosette ! Elle est hyper-tendre, cette bestiole, je ne pouvais pas mieux tomber ! Dorénavant, elle est à moi et à personne d'autre !

### (11 HEURES DU SOIR)

Finalement, les parents, y a rien de tel que de les mettre devant le fait accompli ! Tant que j'ai supplié pour avoir un chien, ils me l'ont refusé. Mais il a suffi que je ramène Cosette pour que tous les obstacles disparaissent comme par magie. Ils ne m'ont même pas ressorti leurs éternels arguments : le manque de place, la corvée des promenades, les vacances, etc. On a juste décidé que je me lèverais un quart d'heure plus tôt, le matin, pour la sortir avant d'aller au bahut. À cinq heures, ce sera moi aussi. Le soir, papa s'en chargera : il n'aime pas que je me balade dans le quartier, la nuit tombée. Et le dimanche, on ira au bois.

Impec, comme programme !

### (MINUIT MOINS DIX)

J'ai pas pu résister. Ça me faisait chier de savoir Cosette toute seule dans la cuisine, j'avais peur qu'elle flippe. Après avoir longtemps hésité, j'ai fini par me lever et aller la chercher. Elle était tout excitée de me voir, j'ai eu un mal de chien (hou, le jeu de mots !) à la calmer. Il a fallu que je lui tienne le museau pour l'empêcher d'aboyer, pendant que je la ramenais dans ma piaule. Maintenant, elle est roulée en boule à côté de moi, sur la couette, et je l'entends soupirer de bonheur dans son sommeil.

Dormir avec un animal, j'en ai toujours rêvé. Cette présence chaude et douce, y a rien de plus rassurant. Et contre les cauchemars, c'est super-efficace !

Je ne sais pas comment papa et maman vont réagir. Peut-être qu'ils gueuleront, on ne peut jamais prévoir, avec eux. Mais en attendant, sa première nuit chez nous, Cosette l'aura passée dans de bonnes conditions... et moi, aussi !

LE **28** AVRIL >>>

( A V A N T   D E   P A R T I R   E N   C L A S S E )

Pas de commentaires. Ou papa et maman n'ont pas remarqué que j'avais dormi avec la chienne, ou ils s'en fichent. Ou, troisième possibilité, ils sont d'accord, mais jugent inutile de le crier sur les toits. Comme pour les stationnements dans notre rue : ce n'est pas *auto-risé*, mais *toléré*, nuance... Quoi qu'il en soit, à mon avis, j'ai le feu vert. Confirmation ce soir.

( S O I R )

La pilule est passée sans problème, d'autant que j'ai donné un bain à Cosette. Elle en avait bien besoin ! Au moins, on ne pourra pas prétendre qu'elle salit mes draps !

Papa lui a ramené un nouveau collier et une laisse en cuir rouge. Elle est toute jolie, avec le collier, mais la laisse ne sert à rien : je la sors sans l'attacher. Je pense qu'elle en a l'habitude, parce qu'elle ne s'éloigne jamais. Elle marche dans mes jambes et ne me quitte pas des yeux durant toute la promenade.

À propos, maman m'a demandé pourquoi je l'avais appelée Cosette (mes parents croient que c'est moi qui ai trouvé son nom). J'ai répondu la première chose qui me passait par la tête : que justement, en cours de français, on étudiait *Les Misérables*.

— Si ç'avait été un mâle, tu l'aurais appelé Gavroche, alors ? a rigolé papa. Ou Jean Valjean ?

— C'est marrant, Gavroche, comme nom, pour un chien... a commenté maman.

Bref, tout baigne.

Et là, ma grosse toutoune pionce avec moi. Le pied !

LE **29** AVRIL >>>

## (GRASSE MATINÉE)

Pfou, le sale rêve ! J'en suis encore toute remuée !

Moi qui pensais que dormir avec un chien supprimait les cauchemars, eh bien, je me trompais ! Peut-être même que c'est sa présence qui me l'a provoqué !

Parce que j'ai rêvé de son ancien maître...

Je ne me souviens pas exactement des faits, mais ce n'est pas ça le plus important. Tout était dans l'atmosphère. Quelque chose de lourd, d'oppressant. Je me trouvais dans un endroit horrible, une sorte d'entrepôt mal éclairé ou de parking souterrain. Je promenais Cosette, et, tout d'un coup, une silhouette sortait de l'ombre et se mettait à me parler. Je ne distinguais pas ses traits, mais la voix était celle du téléphone (la première fois, pas la seconde). Le type pleurait. Il se plaignait que je lui avais volé sa chienne. J'avais beau protester, dire que c'était lui qui me l'avait confiée, que je n'avais fait que ce qu'il m'avait demandé, il ne voulait rien savoir. Soi-disant, je l'avais trahi. « T'es une phalène, il répétait, une phalène ! » Pourquoi une *phalène* ? Je n'en ai pas la moindre idée, mais dans sa bouche c'était une insulte terrible. À tel point que, morte de honte, je finissais par me boucher les oreilles, pour ne plus l'entendre...

Je me suis réveillée le ventre noué, la gorge serrée, les larmes au bord des yeux. Il m'a fallu un bon quart d'heure pour me remettre.

Et maintenant, je me pose une question : est-ce le remords qui m'a donné ce rêve ? Est-ce qu'au fond de moi je culpabilise d'aimer Cosette ? Et, surtout, d'avoir décidé qu'elle m'appartenait, tout en sachant pertinemment qu'elle a un maître quelque part ?

Oui mais... c'est ce maître qui m'a suppliée de la garder ! Alors... ?

Pfff, qu'est-ce que c'est compliqué d'être en paix avec soi-même !

(PLUS TARD)

Deux heures au bois de Vincennes, pour faire courir Cosette. Papa s'amusait comme un petit fou à lui lancer des bouts de bois, maman applaudissait quand elle les ramenait. Ma parole, j'ai l'impression de leur avoir fait un cadeau, à ces deux-là, en les obligeant à adopter un chien ! C'était bien la peine de me le refuser pendant tant d'années !

En plus, il faisait génialement beau, un vrai temps d'été. Ciel bleu, soleil, des oiseaux chantant à pleine gorge... On a découvert une partie du bois où personne ne va plus, parce que la tempête de l'hiver dernier l'a complètement ravagée. Le paysage ressemble à un décor de SF, une sorte de vision de fin du monde. Pour avancer, il faut escalader les arbres abattus qui vous barrent le chemin. Un parcours d'obstacles que les gens n'apprécient pas, en général... mais que les clébards adorent ! Fallait voir Cosette s'en donner à cœur joie ! Quand elle n'arrivait pas à sauter au-dessus des troncs, elle s'aplatissait sur le sol pour ramper par en dessous. Ou mieux, elle sautait, s'accrochait par les pattes avant à l'écorce tout en pédalant dans le vide pour hisser son arrière-train... Les parties de rigolade qu'on s'est payées, en l'observant !

Je n'en reviens pas de la rapidité avec laquelle cette chienne s'est adaptée à nous. On l'aurait depuis toujours, elle ne se comporterait pas différemment ! **31**

A-t-elle déjà oublié ses anciens maîtres ? Je me demande comment elle réagirait si elle se retrouvait nez à nez (nez à truffe, plutôt !) avec eux...

Cette pensée qui m'obsédait — suite, surtout, à mon cauchemar de cette nuit ! — m'a un peu gâché la promenade. Elle m'obsède toujours. J'envie mes parents qui ne sont au courant de rien et profitent de Cosette sans se poser de questions. Moi, je n'aurai pas la paix tant que le mystère de son passé ne sera pas résolu. Tant que je ne serai pas sûre qu'on ne risque pas de me la reprendre...

Papa bricole dans le studio, maman est allée au marché. J'ai prétexté mon travail scolaire pour rester seule dans l'appartement. Je veux rappeler le numéro de la médaille.

Pourvu que je tombe sur le mec de la première fois. Pas le bourré, celui-là, il me fiche les jetons. Si c'est lui qui répond, je raccroche illico.

J'ai laissé sonner au moins cinq minutes, il n'y avait personne.

Space a reçu un portable pour son anniversaire (il a eu quatorze ans hier). Qu'est-ce qu'il frime, avec ça ! En principe, c'est interdit dans l'enceinte du lycée, alors il l'a laissé éteint toute la journée. Mais une fois les cours terminés...

Fallait le voir appeler n'importe qui, tous les gens qu'il connaît (et même ceux qu'il ne connaît pas, je parie !).

— juste pour leur dire : « Salut ».

Ça m'a donné une idée.

— Tu peux me rendre un service ? j'ai demandé.

— Ben... ouais, qu'est-ce que tu veux ?

— Que tu appelles à ce numéro. Si un mec jeune répond, tu me le passes, OK ?

— Et sinon ?

— Tu dis que c'est une erreur.

Il m'a lancé un regard interrogatif, un peu soupçonneux même, tout en composant les chiffres sur son clavier.

— Allô... euh... oui, bonjour... Attendez, je vous passe quelqu'un...

Et voilà, c'était aussi simple que ça ! J'ai pris l'appareil.

— C'est moi qui ai recueilli Cosette, vous vous souvenez ? Est-ce qu'on peut parler cinq minutes ?

— Oui.

— Là, je suis sur le portable d'un ami, mais je vous rappelle dans quelques instants. Le temps d'arriver chez moi. Ça va ?

— Ça va, je vous attends.

— C'était ton nouveau mec ? m'a lancé Space, un peu agressif, en récupérant son portable.

Ma parole, il était jaloux !

— Arrête, j'en ai rien à cirer des mecs, figure-toi ! J'ai autre chose en tête, de bien plus important ! Là, il s'agit de mon chien...

— T'as un chien, toi ? Première nouvelle !

— Depuis avant-hier, mais ça pose quelques petits problèmes... Je t'expliquerai plus tard, faut que je file ! Allez, tchao, à demain !

J'ai couru d'une traite jusqu'à l'appart et j'ai sauté sur le téléphone. Une demi-seconde après, j'avais Hugo au bout du fil.

On a discuté pendant un bon quart d'heure, c'est comme ça que j'ai su son nom : Hugo Grimaldi. Et son âge : dix-sept ans. Il m'a raconté sa vie de A à Z. À présent tout est clair, et j'ai les boules pour lui.

Le type bourré, c'était son père. Il picole depuis que sa femme l'a quitté, y a un peu plus d'un an. Et quand il a bu, il cogne. Déjà, avant, il était violent par nature — la mère d'Hugo est partie à cause de ça — mais alors, maintenant... Presque tous les soirs, il rentre complètement ivre et c'est Hugo qui trinque. Ou la chienne. Surtout la chienne, d'ailleurs...

— Une fois, il l'a tellement battue que les voisins sont intervenus. La pauvre bête hurlait, tu ne peux pas savoir...

L'indignation m'a coupé le souffle.

— C'est... c'est abominable ! Tu ne l'as pas défendue ?

— J'ai essayé, tu penses bien. Mais quand il est dans cet état, pas moyen de le raisonner. Au lieu de m'écouter, il s'est retourné contre moi, et tout ce que j'ai réussi à récolter, c'est un cocard...

J'étais sidérée. Ce genre de drame sordide, on le trouve dans les romans ou dans les faits divers, mais rarement dans la réalité. En tout cas, moi, je n'y avais jamais été confrontée.

— Cosette a bien fait de se sauver, a conclu Hugo. Au moins, avec toi, elle ne dérouille plus...

— T'as pas eu peur qu'elle ait un accident, toute seule dans la rue ? Ou, je ne sais pas, qu'elle tombe sur des salauds...

— Bien sûr que si ! Mais ton coup de téléphone m'a rassuré. J'ai tout de suite compris qu'elle était en de bonnes mains...

Y a eu un petit silence suivi d'un long soupir.

— De toute façon, ça ne pouvait pas être pire qu'ici !

— Et qu'est-ce que ton père a dit, quand il s'est aperçu qu'elle n'était plus là ?

— Pfff... Je ne sais même pas s'il s'en est rendu compte. Voilà trois jours qu'il n'a pas dessaoulé...

On s'est bien mis d'accord : Cosette, je la garde. Quoi qu'il arrive, il ne me la reprendra pas, j'ai sa parole. D'ailleurs, vu ce que je sais, il n'en est plus question. L'idée que ma toutoune retombe entre les griffes de ce monstre me met hors de moi. Quand je pense à tout ce qu'il lui a fait... Salaud ! Espèce d'ordure ! Je le déteste ! La seule chose que m'a demandée Hugo, c'est de pouvoir la revoir de temps en temps, parce qu'elle lui manque...

— Évidemment ! j'ai dit. Quand tu voudras !

Il a sauté sur l'occasion.

— Demain vers cinq heures, cinq heures et demie, ce serait possible ?

— Parfait. À cette heure-là, je suis justement seule à la maison...

Je m'apprêtais à lui donner l'adresse quand je me suis ravisée. Mes parents n'auraient pas apprécié que je fasse entrer un inconnu chez nous en leur absence. Y avait peu de chances qu'ils l'apprennent, remarque, mais on ne sait jamais...

— Retrouvons-nous plutôt au square des Roses, dans la partie réservée aux chiens. C'est toujours là que j'emmène pisser Cosette...

Je lui ai bien expliqué comment venir. Il n'habite pas très loin : rue de Flandres, dans le 19e. Par le 60, on y est tout de suite. Et même à pied.

Me voilà avec un drôle de rencard sur le dos...

En raccrochant, je n'ai rien eu de plus pressé que de cajoler ma chienne. Depuis que je sais qu'elle a été martyrisée, je l'adore encore plus.

Ma pauvre toutoune chérie ! Je vais la rendre tellement heureuse qu'elle oubliera tous ses malheurs !

(22 HEURES ET DES POUSSIÈRES)

En cherchant dans la fourrure de Cosette, j'ai effective-ment trouvé des traces de blessures. Elle a même une cicatrice sur le flanc gauche, où les poils n'ont pas repoussé. Je l'avais déjà remarquée en la lavant, mais sans faire le rapprochement. Quelle crapule, ce type ! Je hais les gens qui brutalisent les animaux ! On devrait leur faire la même chose, à ces lâches !

J'ai un peu la trouille, pour demain. Peut-être que je n'aurais pas dû filer rendez-vous à Hugo aussi vite. J'ai agi sous le coup de l'émotion, sans réfléchir, mais maintenant que j'y repense... Pourquoi j'aurais confiance en lui, hein ? Après tout, il n'est peut-être pas si innocent qu'il le prétend. En tout cas, je n'ai aucun moyen de vérifier.

Et... s'il avait des idées derrière la tête ? Si, par exemple, la brute, c'était lui, pas son père, et qu'il m'ait menée en bateau ? Si, malgré ce qu'il m'a promis, tout ça n'était qu'une manigance pour récupérer Cosette ? Ou qu'il veuille me faire chanter, qu'il réclame de l'argent pour me la laisser ? C'est tellement facile d'apitoyer les gens qui ont du cœur, et puis d'en abuser...

Je devrais peut-être en parler à mes parents ? Ils ont plus d'expérience que moi...

Oui mais... comprendraient-ils pourquoi j'ai tant tardé à me confier ? Pas sûr. À tous les coups, mes cachotteries me retomberaient dessus...

Non, je sais ce que je vais faire : je vais demander à Souad de m'accompagner au rencard. Si Hugo est de bonne foi, que je sois avec quelqu'un ne le dérangera pas. Mais ça le découragera s'il a des intentions pas nettes...

En tout cas, heureusement que j'ai pris la précaution de ne pas lui donner mon adresse !

LE 3 MAI >>>

C'est pour ce soir... Quel dommage que les chiens ne puissent pas parler, ils en auraient des choses à dire ! À commencer par Cosette qui connaît, elle, la vérité ! Mais tout ce qu'elle peut faire, pauvre toutoune, c'est me regarder avec ses yeux criant d'amour...

Comment peut-on faire du mal à une bête aussi adorable ? Il faut être complètement détraqué... sadique... Je ne trouve pas de mot pour exprimer ce que je ressens. Ce type, si je l'avais devant moi, je serais capable de le gifler, de lui cracher dessus. Ou pire encore !

Et Hugo ? Comment je réagirai, en face de lui ? Et qui est-il, d'abord ? Réponse à cette grave question dans quelques heures...

(SOIR)

J'ai fait une parano. Hugo est un mec bien. Et super-mignon, en plus...

**(PLUS TARD)**

J'ai été interrompue par maman, tout à l'heure. Elle voulait que je l'aide à plier le linge. Pour les draps et les housses de couettes, c'est plus facile à deux.

La trouille qu'elle m'a fichue, en entrant dans ma chambre sans prévenir ! Entre parenthèses, je me demande bien ce qui lui a pris : d'habitude elle frappe... Quand elle a ouvert la porte, j'ai fait un bond en l'air et je n'ai eu que le temps de glisser mon journal sous mes bouquins de classe. Je crois qu'elle n'a rien remarqué. L'idée qu'elle puisse venir farfouiller dans mes affaires pour lire ce que j'écris me donne des boutons. En fait, ça m'étonnerait qu'elle commette une indiscrétion pareille, je suis même certaine du contraire. Mais on ne sait jamais, mieux vaut être prudente. Trouver une bonne planque pour mon journal, par exemple. Ou mieux : l'emmener systématiquement avec moi partout où je vais. Comme ça, au moins, je ne prends aucun risque.

Mince, c'est pourtant vrai que je deviens parano ! D'abord Hugo, maintenant ma mère... Faudrait peut-être que je me calme !

En attendant, je vais reprendre le fil de mon histoire, elle en vaut la peine. Donc, vers cinq heures, je me pointe au square avec Souad. Elle avait profité de ce qu'on passait chercher la chienne pour appeler sa mère et la prévenir qu'elle serait un peu en retard. On révisait ensemble, soi-disant. Ça nous laissait une heure ou deux devant nous pour découvrir ce fameux Hugo – qui l'intriguait autant que moi.

Sa présence me détendait complètement. On s'est assises sur un banc, Cosette couchée à nos pieds, et on s'est mises à dévisager les passants. La plupart étaient du quartier, mais dès qu'on apercevait un inconnu on se poussait du coude en gloussant. À un moment, elle m'a même soufflé :

— Tiens, le voilà ! Je suis sûre que c'est lui ! en désignant un vieux bonhomme à moustache.

La crise de fou rire qu'on s'est payée !

Au bout d'une demi-heure, Souad a commencé à en avoir marre.

— Vous auriez dû vous mettre d'accord sur un signe de reconnaissance, comme dans les petites annonces. Un journal à la main, ou un chapeau sur la tête, un truc de ce genre... Il ne t'a jamais vue, tu ne l'as jamais vu, comment voulez-vous vous retrouver ?

J'ai haussé les épaules :

— Et Cosette, ce n'est pas un signe de reconnaissance, peut-être ?

C'était même beaucoup plus, on s'en est rendu compte peu après. Brusquement, la chienne a poussé un couinement et s'est dressée d'un bond, pour filer comme une flèche à la rencontre de quelqu'un. Un grand brun en survêt qui venait vers nous, du bout de l'allée. Dès qu'il l'a aperçue, il s'est accroupi et a tendu les bras. Avec quelle fougue elle s'est jetée sur lui ! Il a failli en perdre l'équilibre...

— Cette fois, plus de doute, c'est le bon, a constaté Souad en se levant.

Impression immédiate : je me suis trompée du tout au tout. Hugo est super. Se méfier de lui, c'est aussi ridicule que, je ne sais pas moi, de soupçonner M. Lebègue, le conseiller d'éducation, ou Dodo, la documentaliste, d'aller en boîte le samedi soir !

Ce qui m'a surtout touchée, c'est qu'il avait les larmes aux yeux.

On s'est réinstallés sur le banc, lui entre nous deux, et Cosette a sauté sur ses genoux. J'étais un peu jalouse de l'affection qu'elle lui témoignait, bien que je trouve ça complètement normal. Il a été son maître beaucoup plus longtemps que moi. On peut même dire qu'il l'est toujours, même s'ils ne vivent plus ensemble.

Tout en la caressant, il me souriait. Un sourire triste et timide en même temps. Je suppose qu'il doit être un peu beur, par son père ou sa mère ou les deux à la fois. À moins que... Grimaldi, ce n'est pas italien, ça ? Ou espagnol ? Ou corse, tout simplement ? Enfin, quelle que soit sa nationalité, il est du Sud. Il a le teint mat et des dents très blanches, des yeux sombres, légèrement étirés vers les tempes, des cheveux noirs coiffés en pétard. Une belle bouche. Et surtout, il ne fait pas le malin, comme la plupart des garçons que je connais. Ça, c'est le plus appréciable de tout.

Bref, il m'a bien plu.

À Souad aussi, elle me l'a dit après.

On ne savait pas trop de quoi parler, alors on a parlé études. Il est en première dans un lycée technique. Lui, ce qui l'intéresse, c'est le bois. Il voulait être sculpteur, au départ, mais comme c'est plutôt un hobby qu'un métier, il a opté pour l'ébénisterie d'art et la restauration de meubles anciens.

À aucun moment, il n'a abordé le problème de son père. Peut-être que la présence de Souad le gênait ? Ce n'est pas évident d'avoir un père ivrogne, personne ne s'en vante, surtout devant des étrangers. Je ne lui ai pas posé de questions, par discrétion. Pourtant, ce n'était pas l'envie qui manquait.

Au bout d'une heure, à peu près, il a regardé sa montre.

— Déjà si tard ? Faut que je me sauve ! Tu me donneras de temps en temps des nouvelles de Cosette, Lucie ?

J'ai répondu qu'il pouvait venir quand il voulait, que ça me ferait plaisir de le revoir. C'était la vérité vraie.

— Tu veux mon numéro de téléphone ? j'ai demandé. T'as qu'à m'appeler si t'as un moment de libre pour passer.

Le pire, quand il est parti, ç'a été la chienne. Elle s'obstinait à le suivre et ne comprenait pas pourquoi on l'en empêchait. Trois fois, elle nous a échappé pour courir derrière lui. Il a fallu qu'on se mette à deux, Souad et moi, pour la retenir.

Elle n'a pas arrêté de gémir jusqu'au soir.

Là, elle est sur mon lit et se lèche les pattes. Peut-être est-ce mon imagination, mais je sens comme un reproche dans ses yeux. Elle doit se demander pourquoi je la prive de son maître.

En fait, l'idéal, ce serait qu'il vienne lui rendre visite régulièrement. Une ou deux fois par semaine, disons. Ou même plus. Je suis sûre qu'on pourrait devenir copains, à la longue.

LE **4** MAI >>>

Souad a trouvé Hugo craquant. Elle n'est pas la seule. Moi, plus j'y pense, plus il me fait de l'effet !

**(8 HEURES DU SOIR)**

J'ai bien envie de rappeler Hugo. Mais c'est trop tôt, ça va paraître louche. Faut au moins que j'attende un jour ou deux. Ce sera long !

Space et Cédric se sont fait choper par Lebègue en train de fumer dans les W.-C. Convocation chez le principal, avertissement. Pour Cédric, c'est déjà le deuxième, il a l'habitude. Il dit qu'il n'en a rien à secouer d'être viré. Mais Space est complètement catastrophé. Ses vieux ne sont pas de tout repos, paraît-il.

Comment est-ce que les miens réagiraient, dans un cas pareil ? Je n'en ai pas la moindre idée. Peut-être que le studio me passerait sous le nez... Sauf que là, ce n'est pas le travail scolaire qui est en cause. Fumer n'a jamais empêché de réussir ses études. La première clope de papa date de ses quinze ans, et il a eu son bac l'année suivante.

À quatre heures et demie, Space avait tellement les boules qu'il n'osait pas rentrer chez lui. Je l'ai embarqué pour promener Cosette, histoire de gagner un peu de temps. On est passés la chercher chez moi, et comme le répondeur clignotait j'ai machinalement appuyé sur le bouton « Écoute ». C'était Hugo. Il me proposait qu'on se voie mercredi à deux heures, au parc de la Villette, devant l'entrée de la Géode. J'ai dû rougir comme une idiote, parce que Space m'a regardée d'un drôle d'air.

Avant de ressortir, j'ai pris la précaution d'effacer le message.

— On fait le tour du quartier ou on va directement au square ? j'ai demandé.

Space préférait le square. Moi aussi, en fait. Sur les trottoirs, Cosette ne se dérouille pas vraiment les pattes. Dans les allées, si : elle peut cavaler sans crainte des voitures.

Nous longions l'aire de jeux quand Space m'a passé le bras autour des épaules. Je me suis arrêtée net.

— Qu'est-ce qui te prend ?

Il lui prenait qu'il avait besoin d'amour. Un effet secondaire du flip, probablement.

— Arrête, j'ai dit, ne mélange pas tout. Y a quinze jours que c'est fini entre nous, au cas où t'aurais oublié. Pour ce genre de consolation, trouve-toi quelqu'un de nouveau.

Ça l'a fichu en rogne.

— Tu veux te garder pour l'autre, c'est ça ?

— Quel autre ?

— Celui du répondeur... Tu crois peut-être que je n'ai pas deviné ? Faut pas me prendre pour un con, ma petite !

Le ton était si agressif que toute ma compassion s'est envolée d'un coup. J'ai répliqué du tac au tac :

— Écrase, Space... Est-ce que je me mêle de ta vie, moi ?

Je n'aurais pas dû. Vu son état, je n'aurais pas dû. Un mec mal dans sa peau, mieux vaut éviter de le brusquer. Mais on ne se maîtrise pas toujours.

— Eh bien moi, je vais me mêler de la tienne, de vie, tu vas voir ! a-t-il craché.

Et il m'a plantée là pour se barrer en courant.

Le nul ! Drôle de manière de me remercier ! La prochaine fois qu'il aura des ennuis, pas la peine de compter sur moi pour le consoler !

Vendredi soir, pendant le dîner, papa déclare comme ça, pouf !, sans que rien l'ait laissé prévoir :

— Si nous allions passer le week-end à Stella-Plage ?

Maman et moi, on applaudit. Stella-Plage, on adore !

— La météo est bonne, départ demain matin à six heures ! Allez hop ! courez préparer vos bagages, moi je réserve deux chambres à *Bel Horizon* ! Pas de raison de se priver, on n'a qu'une vie, bordel !

Ça, c'est le côté archi-sympa de mon père. Les virées impromptues, les trucs un peu dingues qu'on décide au dernier moment...

— Assure-toi qu'ils acceptent les chiens ! recommande maman, avant de s'engouffrer dans sa chambre.

— Évidemment qu'ils les acceptent, ils en ont deux !

Sac défait et refait trois fois, nuit agitée, bref, samedi, on démarre à l'aube, encore tout bouffis de sommeil. Cosette, la tête posée sur mes genoux, ne moufte pas durant tout le trajet. Elle aime la voiture, apparemment. Maman inaugure son nouvel ensemble en jean : pantacourt et mini-blouson. Là-dedans, elle a l'air d'être ma sœur aînée. J'espère qu'elle me le prêtera. Papa porte un polo marin, moi mon tee-shirt jaune à capuche et ma salopette-bermuda. Je suis dans une forme d'enfer, j'ai l'impression de partir en vacances.

Arrivée à Stella un peu avant neuf heures. Direct *Bel Horizon* pour le petit déjeuner. On monte nos affaires pendant que la vieille Mme Merlin, qui tient l'hôtel depuis toujours, nous prépare du café et des tartines. Cosette a droit à une litanie de compliments bébêtes qu'elle accepte en gardant ses distances. Tant de familiarités venant d'une étrangère, ça ne lui plaît pas trop.

— Elle n'est pas en chasse, au moins ? s'assure Mme Merlin. Parce que, avec mes gros...

Ses *gros*, ce sont deux vieux bergers, Kiwi et Rintintin, qui dorment toute la journée. De l'avis général, Cosette ne court aucun danger, avec ces ramollos. Même si l'air entendu de leur maîtresse laisse supposer le contraire.

Dans la demi-heure qui suit, on se retrouve sur la plage. Malgré un soleil éblouissant, le temps est encore trop frisquet pour se baigner. Par contre, on enlève nos chaussures et on marche pieds nus à la frange des vagues. L'atmosphère sent bon l'iode. L'immensité du ciel et de la mer donne le vertige.

La chienne profite à fond de sa liberté. Autant d'espace pour gambader, ça la rend folle. Elle bondit à l'eau dans de grandes gerbes d'éclaboussures, s'ébroue, le poil tout collé par l'écume et le sel, et repart à fond de train pourchasser les mouettes avec des aboiements hystériques.

— Vas-y, ma belle ! Ksss, ksss, attrape-les ! l'excite papa en rigolant.

Ces deux-là s'entendent vraiment comme cul et chemise !

À midi, plateaux de fruits de mer sur le port, puis les parents s'offrent une petite sieste pendant que je retourne au bord de la mer avec Cosette.

Tout en marchant sur la plage, je rêvasse. Et à qui ? Je vous le donne en mille.

À Hugo.

Je me dis que j'aimerais bien qu'il soit là, avec moi. Bizarre, non ? Alors qu'on se connaît à peine.

Cosette aussi aimerait ça, j'en suis sûre !

Tant qu'à penser ou faire des trucs débiles, je trace HUGO en grand sur le sable, du bout de ma tennis. Et la chienne, qui croit à un jeu, gratte des pattes avant les quatre lettres majuscules, jusqu'à ce qu'à leur place il n'y ait plus que des trous.

Le soir, bouffe à l'hôtel : une soupe de poisson, des crustacés à la mayonnaise et du gâteau maison.

Dimanche : longue balade dans les dunes, p'tits repas sur la digue, l'après-midi location de vélos (pas évident, avec Cosette qui vous court dans les roues !), glaces en terrasse, etc. Lundi début d'après-midi : retour, juste avant la cohue.

Ce matin, à nouveau le train-train quotidien.

Et demain...

Ouahou, demain, c'est mercredi !


### (22 H 08 EXACTEMENT)

Et si Hugo ne venait pas au rendez-vous ?


### (22 H 15)

Pourquoi il ne viendrait pas ? C'est lui qui l'a fixé, personne ne l'obligeait !


### (22 H 42)

Faudrait peut-être que je dorme, mais je n'y arrive pas. Je suis trop pressée qu'on soit demain.

**(22 H 55)**

Être aussi impatiente de retrouver un garçon qu'on n'a vu qu'une seule fois, est-ce normal, docteur ? Pas du tout, mon enfant, c'est grotesque. Même s'il a une belle gueule et un sourire fondant !

LE **10** MAI >>>

J'ai tellement de choses à raconter que je ne sais pas par où commencer. Je vais essayer de suivre l'ordre chronologique sans oublier aucun détail.

Ce matin, je me réveille avec une barre dans l'estomac. J'attends que mes parents soient partis au travail pour me lever, pas par envie de grasse matinée, mais parce que je n'ai pas faim. Je serais incapable d'avaler quoi que ce soit, et les réflexions de maman — style : « le petit déjeuner est le repas le plus important de la journée » —, aujourd'hui, je m'en passe.

Finalement, vers neuf heures, c'est Cosette qui me tire du lit. Elle a envie de pisser et gratte à la porte de ma chambre pour bien me le faire comprendre. J'enfile juste mon jogging, et on part se balader une petite heure dans le square. Puis je rentre en me demandant à quoi je vais bien pouvoir occuper les quatre heures qui restent.

Je prends une douche, je me lave les cheveux, je les sèche, je fouille dans ma garde-robe, je passe des fringues, je les retire, j'en essaie d'autres... C'est toujours dans ces moments-là que l'on constate qu'on n'a plus rien à se mettre. Que tout ce qui nous va est soit démodé, soit crade. Après de nombreuses hésitations, j'opte pour le pantacourt de ma mère (qu'elle a fini par me filer, il est un peu étroit pour elle ; manque de bol, elle a gardé le blouson). Il me fait un joli petit cul. Avec mon sweat noir moulant et mes Nike sans chaussettes, c'est top.

Onze heures cinq.

Je commence mon devoir de maths pour vendredi ; impossible de me concentrer. Je prends un bouquin, pareil. J'allume la télé : que des dessins animés nazes. Je tente de ranger un peu ma chambre (elle en a bien besoin !) mais j'y renonce au bout de dix minutes. Tout m'ennuie.

Onze heures et demie. Seulement.

J'appelle Souad. Elle garde ses petits frères, et Khaled, le plus jeune, nous interrompt sans cesse. J'entends Mourad brailler en arrière-fond. Discuter dans ces conditions, c'est une performance sportive ; je ne m'en sens pas le courage. Avant de raccrocher, Souad me souhaite bonne chance pour cet après-midi. Elle est sympa, cette fille, je l'aime vraiment beaucoup. C'est bien la seule avec qui je puisse partager tous mes secrets. Dommage qu'elle soit aussi peu disponible.

Midi moins le quart. Pour aller à la Villette à pied, il me faut, disons, vingt minutes. Une demi-heure, allez, en comptant large. Encore une heure trois quarts à perdre.

Le temps se traîne comme une limace. La barre chaude est de plus en plus lourde dans mon ventre. Si je tâchais de manger quelque chose, histoire de me sentir un peu mieux ? J'inspecte le frigo. Trois cuillerées de yaourt, un demi-surimi. Le reste ne passe pas.

Je ne tiens pas en place. Cosette, un peu inquiète de me voir tourner en rond, ne me quitte pas d'une semelle et réclame des caresses à tout bout de champ, en soulevant ma main avec son museau. C'est sa manière à elle de se rassurer, je suppose. Finalement, y a pire, comme occupation, et je suis bien dans l'état d'esprit pour. Allez, zou, séance de câlins.

Midi et demi. Plus qu'une heure à tirer. Je rallume la télé et je tombe sur un vieux feuilleton des années soixante, sur la Cinq. Je le suis d'un œil distrait. Encore trois quarts d'heure de gagné.

À vingt, je craque.

— Tu viens, Cosette ?

On arrive au rendez-vous avec dix bonnes minutes d'avance. J'ai ça en horreur. Ce qu'on a l'air gourde quand on attend !

Je m'installe sur les marches de la Géode, les coudes sur les genoux, le menton dans la paume. Mon mal de bide va un peu mieux. L'énervement doit court-circuiter l'angoisse. En revanche, ça me démange de partout : les orteils, les mollets, les cuisses et jusqu'au creux des reins. Pourvu qu'Hugo ne soit pas en retard, parce que je ne tiendrai pas le coup longtemps : j'ai l'impression d'être assise sur un nid de fourmis !

À moins cinq, la chienne dresse les oreilles et se met à aboyer. Toutes les fourmis grimpent à l'assaut de mon ventre. C'est lui !

Cosette se rue dans ses jambes. Il l'attrape au passage, la soulève, l'embrasse sur la truffe et s'approche avec elle qui se trémousse dans ses bras. Il n'est plus en survêt mais porte un jean, un tee-shirt blanc et une chemise à carreaux dans les bleus. J'adore.

— Salut ! il me lance.

Je réponds :

— Salut !

Et on ne trouve rien d'autre à dire.

Il s'assied près de moi pour cajoler Cosette — une chance qu'elle soit là, elle ! Je la cajole aussi ; ça nous fait une occupation commune. Même que nos doigts se rencontrent de temps en temps dans sa fourrure, et que je prends chaque fois cent mille volts dans les dents ! Quand tout à coup...

— Coucou, les amoureux !

La voix a éclaté derrière nous, en haut des marches. Une voix que je ne connais que trop. Je me retourne d'un bloc. Space se dandine devant l'entrée de la Géode, en compagnie de Cédric et de Sami.

— Ben... qu'est-ce que vous foutez là ?

— On est venus au rencard, tiens !

— Quel rencard ?

Du menton, Space désigne Hugo.

— Avec lui, quoi... Le gars du répondeur...

— On surveille tes fréquentations, qu'est-ce que tu crois ? glousse Cédric.

— Tu devrais nous remercier de prendre soin de toi comme ça ! ajoute Sami.

Là, je suis carrément médusée.

— Mais... ça va pas, la tête ? Vous êtes complètement à la masse, les mecs !

— C'est qui, ces guignols ? me glisse Hugo.

— Des copains... enfin, si on peut dire !

Les « copains » en question nous encerclent, à la fois moqueurs et menaçants. Mine de rien, je commence à avoir les jetons. Qu'est-ce qu'ils me veulent, au juste ?

— Qu'est-ce que vous me voulez, merde ? Barrez-vous, on ne vous a pas sonnés !

— Tss-tss, ricane Space, la bouche de travers. Vous entendez comment elle nous parle, les gars ?

— Arrête ta provoc, Space ! T'es jaloux, c'est ça ? Tu t'imagines peut-être que tu vas me récupérer en jouant les marioles ? T'as aucune chance, mon pauvre vieux ! Tu ne me plais pas, tu ne m'as jamais plu, je te trouve moche et con !

Là, je m'épate moi-même. La colère, c'est le meilleur remède contre la trouille. Et je suis *vraiment* en colère. Tellement que je ne me contente pas de mots. Je me lève, je fonce sur Space, je le bouscule. Il me rend la pareille et je pars en arrière, déséquilibrée. La chienne éclate en aboiements aigus. Hugo s'interpose.

— Hé, ho, ça suffit, maintenant, ce cirque ! Pas la peine d'étaler vos histoires en public !

— Y a pas d'histoires ! je gueule. C'est ce malade qui est allé se fourrer je ne sais quoi dans la tête...

— Tu sais ce qu'il te dit, le malade ? beugle Space.

Il revient à la charge, mais cette fois Cédric et Sami interviennent. Visiblement, ils trouvent que la plaisanterie a assez duré. L'expédition punitive — car c'en est bien une ! — a toutes les chances de se retourner contre eux : nos cris, et surtout ceux de la chienne, ont attiré du monde. Un attroupement commence à se former.

— Laisse tomber, Space, ça sent mauvais... Tu vas finir par nous attirer des ennuis.

— Viens, on s'en va !

Ils l'entraînent, tout grimaçant de rage. Cosette, qui semble prendre leur départ pour une victoire personnelle, les poursuit en aboyant de plus belle.

Du coup, mes nerfs flanchent et je fonds en larmes.

Et là, Hugo a une réaction fabuleuse : il cherche un mouchoir dans ses poches et, comme il n'en trouve pas, il déroule la manche de sa chemise pour m'essuyer les yeux avec.

— Ne te mets pas dans un état pareil, Lucie, ces blaireaux n'en valent pas la peine !

Ça, c'est vite dit ! Franchement, de quoi j'ai l'air, moi, maintenant ? D'une nana galère — ce que, justement, je ne suis pas ! La honte !

— Quelle bande de minables... je répète en reniflant. Désolée de t'avoir imposé ça... Je ne m'attendais pas...

— Te fais pas de bile, je connais ce genre de types. Ils sont plus bêtes que méchants. Leurs manœuvres d'intimidation, c'est de la frime...

Mouais, si on veut. En attendant, mes projets sont à l'eau. Enfin... je n'avais pas de projets à proprement parler, mais quand un mec canon vous fixe rendez-vous, on ne peut pas s'empêcher de s'imaginer des choses...

Après l'humiliation que je viens de subir, tout ce qui me reste à faire, c'est rentrer chez moi et me rouler en boule dans un coin en chialant !

Par bonheur, Hugo n'est pas de cet avis. Il a envie de marcher, lui, de discuter. Faut plus que trois petits crâneurs pour le décourager !

— Allez, viens ! Inutile de rester plantés là cent sept ans !

Durant quelques instants, on longe les bassins en silence, puis il se remet à me parler de son père.

— Quand il n'est pas saoul, c'est quelqu'un de normal. De compréhensif, même. On peut le raisonner, il écoute, admet, reconnaît ses torts. Il a des remords du mal qu'il nous fait, à la chienne et à moi. Mais c'est plus fort que lui, l'alcool le tient.

Les reflets du soleil font scintiller l'eau. Hugo, ébloui, plisse les paupières, ce qui accentue encore son côté « gars du Sud ».

— Y a deux hommes en lui, comme dans *Docteur Jekill et mister Hyde*, explique-t-il. Le problème, c'est qu'il boit de plus en plus, et que mister Hyde prend le pas sur l'autre...

— Pourquoi tu ne le quittes pas ? C'est pas une vie, pour toi ! Tu n'as qu'à aller habiter chez ta mère !

Hugo ne répond pas tout de suite. Dans la fente des paupières, ses yeux sont encore plus noirs que ceux de Cosette, encore plus profonds.

— Je ne peux pas le laisser... Il est tellement seul, tellement perdu... Si je n'étais plus là, qu'est-ce qu'il deviendrait ? Ma présence l'empêche de sombrer complètement...

Lui, alors, comme sens des responsabilités ! Je suis à la fois émerveillée et révoltée. Émerveillée parce que je n'ai jamais rencontré personne d'aussi mûr, d'aussi généreux ; révoltée parce que ça risque de lui retomber dessus, un jour ou l'autre.

— Cette brute t'a déjà cogné et peut recommencer n'importe quand ! Qu'est-ce que tu feras, alors ? Tu te sauveras, comme Cosette ?

Hugo a un petit rire triste.

— Je viendrai me réfugier près de toi !

Je reçois sa réponse en pleine poitrine. Est-ce juste une simple vanne ou... ?

Je n'ai pas le temps d'y réfléchir, car son ton change brusquement.

— De toute façon, ma mère, je ne veux plus en entendre parler, dit-il durement. Elle a vraiment été trop nulle avec papa !

— Elle ne l'a pas quitté parce qu'il la frappait ?

— Si, mais c'est plus compliqué que ça... Elle s'est mise avec un type que je ne peux pas sacquer, et ils se sont acharnés contre lui. Il a perdu son boulot à cause d'eux, s'est retrouvé quasiment sans un rond... Ce serait trop long à t'expliquer... En tout cas, moi, je suis de son côté. C'est mon père, tu comprends. Il a beau être ce qu'il est, je l'aime quand même...

Non mais je rêve !

— Tu *l'aimes* ?!

Hugo me regarde. Oui, il l'aime, et sincèrement, je le lis dans ses yeux. Quel drôle de garçon...

Ça doit être terrible d'aimer un salaud !

On se quitte vers cinq heures en se disant à bientôt. Cette fois, Cosette accepte de me suivre sans trop de difficulté. Elle est futée, cette chienne ! Je suis sûre qu'elle a pigé qu'on allait se revoir, avec Hugo, et très souvent ! Finalement, pour elle, c'est tout bénéf : elle vit peinarde chez nous, sans pour autant être séparée de son ancien maître. Le beurre et l'argent du beurre, quoi !

En attendant, moi, j'ai Hugo dans la tête, et pas qu'un peu !

(MINUIT DIX)

Je ne serais pas en train de tomber amoureuse, par hasard ?

(MINUIT VINGT)

Si.

Ah, ça, pour m'entendre, il m'a entendue, Space, ce matin ! De tous les noms, je l'ai traité ! Parce que, même si je suis sur un petit nuage, je ne décolère pas par rapport à lui.

— Ben quoi, on ne peut plus rigoler ? voilà tout ce qu'il a trouvé à répondre.

Je lui ai conseillé de réviser son sens de l'humour et, surtout, de me laisser en dehors du coup.

— Moins on se « marrera » ensemble, mieux je me porterai ! j'ai dit.

Fin d'une amitié. Il a fait tout ce qu'il fallait pour.

(PLUS TARD)

Hugo.

Hugo Hugo Hugo Hugo.

J'arrête pas une minute de penser à lui.

**(SOIR)**

J'ai raconté à Souad mon après-midi d'hier. Elle est super-contente pour moi. Elle trouve qu'avec Hugo on forme un beau couple. Dans sa tête, c'est déjà comme si on était ensemble. Et dans la mienne ?

Téléphoné à Hugo, tout à l'heure. Suis tombée sur son père. Il avait une voix potable et m'a passé son fils. On se voit lundi après les cours. Vivement que le week-end soit terminé !

Ce matin, papa m'a emmenée chez Bricorama pour choisir le carrelage de la kitchenette. J'hésitais entre du blanc et du beige, mais comme le beige était en promo, ça nous a décidés. Avec un évier de la même couleur, ce sera super. On a aussi jeté un coup d'œil sur les stores, mais ça, ce n'est pas encore pour tout de suite. Faut terminer tous les travaux avant d'attaquer la déco.

— Tu verras ça avec ta mère, a dit papa. Elle adore s'occuper des finitions !

J'ai quand même une sacrée chance ! Quand je compare mes parents avec ceux d'Hugo... Ah, si on pouvait adopter les garçons comme on adopte les chiennes, je l'emmènerais bien chez moi, celui-là ! Il gagnerait au change ! Je partagerais même ma chambre avec lui, c'est tout dire ! Et ma gamelle !

Ben quoi, j'ai bien le droit de rêver, non ?

**(SOIR)**

Le coup de foudre, voilà ce que j'ai eu ! Ça paraît ringard, vu de loin, mais quand on l'éprouve, quel pied ! Jamais je n'avais ressenti ça pour personne.

Hugo, je t'aime ! Est-ce qu'un jour j'oserai te le dire en vrai ?

**(22 H 40)**

*Love love love love. I love Hugo. Hugo, my love, I love you.*

Lundi, je piquerai le Polaroid de papa. J'ai trop envie d'avoir une photo de lui !

Ce qu'il y a de méga-cool, c'est que Cosette, je peux lui dire, lui répéter et lui seriner sur tous les tons que j'aime Hugo, elle ne m'envoie jamais promener. Primo, elle ne comprend pas. Secundo, si elle comprend, on partage le même sentiment, donc *no problemo*.

Si lundi, dès qu'il arrive, je cours vers Hugo en aboyant, est-ce qu'il comprendra ? J'aimerais bien, moi, qu'il me caresse...

**(MINUIT)**

Ce serait merveilleux s'il ressentait la même chose que

moi. Si, lui aussi, était fou d'impatience de me retrouver.

On se repérerait de très loin, dans le square. Lui serait entré côté rue des Roses, moi côté Jaurès. Des massifs, des pelouses nous sépareraient encore. Y aurait plein de monde dans les allées et sur les bancs, mais on se sentirait comme sur une île déserte. Les gens, on n'aurait même pas conscience de leur présence. La seule chose qu'on verrait, moi ce serait lui et lui ce serait moi. On courrait l'un vers l'autre, avec la chienne à mi-chemin qui aboierait, et je me jetterais dans ses bras. Il me serrerait très fort. Nos deux chaleurs n'en feraient plus qu'une, nos cœurs battraient au même rythme, c'est-à-dire effréné. Je lèverais le visage vers lui. Il me sourirait, et je verrais briller ses dents. Alors, je perdrais les pédales. Tout se mettrait à tourner autour de moi. Je m'agripperais à lui, je lui tendrais mes lèvres... Pfou ! D'écrire ça, ça me donne chaud partout ! Rien à voir avec les patins qu'on se roulait, Ludo et moi — et qu'entre parenthèses j'ai toujours trouvés répugnants ! Ce baiser-là, ce serait, comment dire ? un morceau de soleil.

**(RÉVEIL)**

Houlà, mon ventre ! C'est encore pire que la semaine dernière ! Si à chacun de mes rendez-vous avec Hugo j'ai les boyaux en marmelade, on n'est pas sorti de l'auberge !

Et maman qui va encore vouloir que je mange... Au secours !

C'est pas compliqué : si j'absorbe quoi que ce soit, je vomis aussi sec !

**(SOIR)**

Il n'est pas venu. Presque deux heures, j'ai attendu. Je déprime un max !

**(PLUS TARD)**

Pendant que papa et maman regardaient la télé, j'ai essayé d'appeler chez Hugo. Pas de réponse. Pourtant, **81** j'ai au moins laissé sonner dix minutes. N'est-il pas là ou *ne veut-il pas décrocher* ? Il doit bien se douter que c'est moi, pourtant, après le lapin qu'il m'a posé !

Justement ! Il est peut-être en train de se marrer, près de son téléphone, en imaginant ma déception...

Non, ce n'est pas possible, je ne peux pas croire ça. Pas de lui.

Alors, où est-il ? Que fait-il ? Pourquoi m'a-t-il laissée tomber ?

Est-ce que par hasard il a une autre fille ?

Oh, Hugo, Hugo, qu'est-ce qui t'a pris de me faire un coup pareil ? De me jeter comme un vieux Kleenex, moi qui ne pensais qu'à toi ? Hein, qu'est-ce qui t'a pris, mon amour ?

Je n'ai jamais été aussi malheureuse de toute ma vie. Malheureuse à péter les plombs, sans blague !


### (AU MILIEU DE LA NUIT)

Je ne savais pas qu'on pouvait souffrir autant pour un garçon. Je pleure, je pleure. Mon oreiller est trempé. Je suis obsédée par des images terribles, des sortes de flash qui m'apparaissent dans le noir. Hugo avec une nana, en train de l'embrasser, de la serrer contre lui, de lui chuchoter des mots tendres à l'oreille. Eux deux riant en me montrant du doigt. Et moi, effondrée ; une pauvre chose en larmes face à ce couple rayonnant.

Je voudrais mourir...

Quelle aventure ! Tout ce que j'ai écrit hier était faux, archi-faux ; un ramassis de conneries. Je suis vraiment la reine des nulles, moi, avec mon cinoche à la noix ! Si je ne me retenais pas, je me giflerais, tiens !

Je vais gribouiller la page précédente, ça me défoulera...

Voilà, c'est fait. J'ai biffé chaque ligne, et en travers du texte j'ai marqué en grand : PARANO.

Maintenant, je peux reprendre calmement les événements, depuis le début. Des événements qui n'ont rien à voir avec mes délires (mais, quelque part, sont encore plus affreux, si on y réfléchit...).

Ce matin, je me lève pour aller au bahut dans un état facile à deviner : le teint verdâtre, une haleine à assommer un bœuf, des valoches de voyageur de commerce sous les yeux... Forcément, j'avais chialé toute la nuit au lieu de dormir. Bon, je me rafistole autant que je peux, histoire de pas avoir l'air trop gore, je chipote dans mes céréales (que je jette à la poubelle dès que maman a le dos tourné) et j'emmène la chienne faire sa pissette matinale.

C'est là que tout bascule.

J'arrive au square en ruminant mes idées noires, et qui j'aperçois, de dos ?

HUGO.

Une explosion d'adrénaline dans le bide, je me rue vers lui. Cosette aussi. En l'entendant aboyer, il se retourne... et je manque de tomber à la renverse. Parce que sa figure... sa figure...

Eh bien, sa figure, on dirait celle d'un boxeur à la fin d'un match. Il a un œil poché, les lèvres tuméfiées...

Je m'arrête net, médusée.

— Qu... qu'est-ce qui t'est arrivé ?

Répondre semble au-dessus de ses forces. Il se contente de hausser les épaules.

— Tu t'es fait agresser... ?

Malgré moi, je baisse la voix.

— Ou alors... ton père... ?

Hochement de tête. Une bouffée de haine me suffoque.

— Ton père t'a tabassé, c'est ça ? Pourquoi ?

Nouveau haussement d'épaules, très las, épuisé.

Je prends Hugo par le bras avec mille précautions — j'ose à peine le toucher de peur de lui faire mal — et je l'entraîne vers un banc. Il s'y laisse tomber, sans pouvoir retenir un petit gémissement. Tout son corps doit être endolori, et, dans ce cas-là, la moindre secousse est une torture.

J'aimerais bien lui venir en aide mais je ne sais pas comment. Je me sens affreusement maladroite. Aussi démunie que devant un extraterrestre. Alors, je ne dis rien et je le regarde en souffrant pour lui.

— Je me suis barré de chez moi... finit-il par articuler. Comme je ne savais pas où aller, je suis venu ici. J'ai traîné toute la nuit dans le quartier...

Une phrase me revient subitement en mémoire, une petite phrase de rien du tout qu'il m'a dite la semaine dernière. « Je viendrai me réfugier près de toi. » C'était de la prémonition, ou quoi ?

Je prends sa main, je la serre tout doucement mais avec ferveur.

—T'as eu raison ! Dans les sales moments, on n'a que les amis...

Il essaie de sourire, mais ne parvient à ébaucher qu'une grimace pitoyable.

— Qu'est-ce que tu vas faire, maintenant ? je demande.
Aller au lycée ?

— Avec cette tronche-là ?

Ouais, évidemment... Je l'imagine mal confronté à la curiosité de ses camarades, aux questions de ses profs...

— Tu ne comptes quand même pas rester dans la rue ?

— Bien obligé...

— Et ce soir ? Tu rentreras chez toi ?

Y a comme un éclair de haine dans ses yeux.

— Plutôt crever ! Jamais j'y remettrai les pieds. Je ne veux pas revoir ce... ce...

L'insulte ne vient pas. Ou alors, aucune n'est assez forte pour exprimer ce qu'il ressent.

— T'as prévu un endroit pour dormir ?

Il secoue la tête. Bon, d'accord, j'ai compris : c'est à moi d'assurer. Sa confiance me bouleverse. T'en fais pas, mon amour, je vais te tirer de là. Je ne sais pas encore comment, mais, pas de panique ! ta Lucie te prend en charge !

Coup d'œil à ma montre : 8 h 20. Je devrais déjà être au bahut...

Au diable, le bahut ! Pas question que je laisse Hugo se démerder tout seul après ce qu'il a subi. Ce serait

monstrueux de ma part.

D'ailleurs, je ne l'envisage même pas. Il est là, je sèche les cours et je reste avec lui, c'est aussi évident que deux et deux font quatre. En plus, mes parents sont partis, je peux l'emmener chez moi. Il a besoin de se laver, de se reposer, de changer de vêtements... Pour la suite, on avisera.

Cinq minutes plus tard — en veillant bien à ce que la concierge ne nous voie pas, parce que celle-là, comme pipelette ! — on se retrouve dans mon appartement.

Après avoir pris un bain et s'être changé — je lui ai passé mon maxi tee-shirt et ma salopette trois fois trop grande, qui est juste à sa taille —, Hugo se sent un peu mieux. Je lui pose des compresses de Synthol sur le visage, puis je prépare du thé chaud et je lui suggère de se reposer un peu. Il refuse : bien que mort de fatigue, il est trop énervé pour dormir.

Grâce au Synthol, ses traits ont légèrement dégonflé et il arrive à parler plus facilement. Or, c'est de ça qu'il a besoin avant tout : parler. Se libérer.

Il avale une gorgée de thé brûlant et me raconte, avec des mots hachés, la scène d'hier. Une vraie séquence de film d'horreur.

Vers quatre heures et demie, quand il est passé chez lui pour déposer son sac avant notre rendez-vous, une mauvaise surprise l'y attendait : son père, fin saoul et super-agressif. Quand Hugo a voulu ressortir, il le lui a interdit. La discussion a dégénéré, et M. Grimaldi s'est fichu dans une rogne terrible. Il a fermé la porte à clé et a commencé à cogner son fils. C'est fort, un ivrogne. Beaucoup plus fort qu'un homme à jeun. Et ça n'a pas peur de faire mal : ce n'est pas conscient des conséquences de ses actes...

Hugo se protégeait de son mieux, mais les coups pleuvaient. Il a essayé de fuir, mais son père l'a acculé dans un coin de la pièce, et là, il a tapé, tapé comme un sourd, avec tout ce qui lui tombait sous la main. Au bout d'un moment, sous l'effet de la douleur, Hugo s'est évanoui. Enfin, il le suppose, parce qu'il ne se rappelle plus rien. Quand il est revenu à lui, son père dormait, affalé sur la table. C'est grâce à ça qu'il a pu lui prendre la clé et se sauver dans la nuit.

Atroce, non ? Révoltant, ignoble ! J'en ai les larmes aux yeux, et en même temps je bous intérieurement. Un monstre pareil, faut l'arrêter, le foutre en taule. Je suggère à Hugo d'aller chez les flics, mais il refuse. Il ne veut pas porter plainte contre son père.

— Pourquoi ? Qu'est-ce qu'il mérite d'autre ?

— Arrête, tu ne peux pas comprendre... Je suis mineur... Si la police s'en mêle, on me renvoie chez ma mère, et ça, plutôt crever !

— Tu ne peux pas refuser ?

— Dans ce cas, ce sera la DDASS... Les assistantes sociales, le juge pour enfants... J'ai déjà donné, merci !

— Qu'est-ce que tu vas devenir, alors ?

— J'en sais rien... Tu... tu ne peux pas m'héberger quelques jours ?

— Je voudrais bien... mais faut que j'en parle à mes parents, et là...

On se comprend à demi-mot. Des parents, même sympas, restent des parents. Les miens ne prendront jamais la responsabilité d'abriter un fugueur, je les connais. En toute bonne foi, ils avertiront « qui de droit », et Hugo se retrouvera Dieu sait où...

— T'as raison, laisse tomber ! Je me débrouillerai tout seul...

On se regarde. Malgré ce qu'il vient de dire, ses yeux appellent au secours. Je serre les dents, les poings. Eh quoi, le garçon que j'aime est dans la merde, et je ne lèverais pas le petit doigt pour l'aider ?

Je réfléchis quelques instants, histoire de dresser un plan de bataille.

— Le plus urgent, c'est de te cacher... Ici, on est tranquilles jusqu'à sept heures. Après, faut te trouver une planque...

— D'accord, mais où ?

Où ? L'évidence me saute à l'esprit sans crier gare. *Dans le studio, bien sûr !* Personne n'y met les pieds en semaine, ce qui nous laisse trois jours pour nous retourner...

Emballée par l'idée, je bondis sur mes pieds.

— Ne t'occupe de rien, j'organise tout !

Hugo ne demande pas mieux. Maintenant qu'il a sorti ce qu'il avait sur le cœur, il se relâche enfin. Moi, en revanche, je suis complètement speed. Tandis qu'il somnole sur le canapé, avec Cosette roulée en boule contre lui, je plonge dans le placard de l'entrée, où maman range les affaires de vacances. Un matelas pneumatique, un gonfleur, un sac de couchage... Paaarfait, c'est juste ce qu'il me faut ! J'embarque le tout et je le porte au sixième.

Là-haut, c'est toujours le chantier, mais tant pis, à la guerre comme à la guerre. Pendant une bonne demi-heure, je m'affaire. Je déplace les sacs de plâtre, les planches, les pots de peinture pour dégager une bonne petite place, juste sous la lucarne. Un coup de balai là-dessus... parfait ! Gonfler le matelas... installer le duvet... un oreiller... Voilà, le refuge de mon Hugo est prêt !

Ma parole, je l'envierais presque, malgré ses malheurs : c'est lui qui va inaugurer *mon* futur studio !

Encore quelques allées et venues pour les provisions : bouteille d'eau, biscuits, fruits, paquet de céréales, tablette de chocolat... Une pile de magazines... deux ou trois BD, un gros bouquin d'Agatha Christie... — pfou ! Hugo a de quoi soutenir un siège, avec tout ça ! —, et vers six heures je le réveille.

Il met un petit moment à réaliser où il se trouve. Le sommeil a tout effacé. Il me fixe comme s'il ne m'avait jamais vue, puis la mémoire lui revient en même temps que la douleur. Il se redresse avec précaution, s'étire, me suit comme s'il marchait sur des œufs. Je m'inquiète :

— T'as très mal ?

— Ouais... normal après avoir dormi, c'est le contre-coup. Fais pas attention, j'ai l'habitude !

On grimpe tout doucement les trois étages, entre l'appartement et le studio. Hugo boitille, se cramponne à la rampe, s'arrête à chaque palier pour reprendre son souffle. Pour la première fois, je regrette vraiment qu'il n'y ait pas d'ascenseur, dans l'immeuble.

Enfin, on arrive. J'ouvre la porte en grand.

— Tatatam ! Comment tu trouves ?

— Formidable ! C'est à toi ?

— Oui... enfin, à ma majorité. En attendant, mon père
le retape.

— Il ne va pas venir me déloger ?

— Penses-tu ! Il ne monte que le week-end, et encore,
pas toujours. Tu ne risques rien avant samedi, et d'ici
là on aura trouvé une autre solution...

Hugo est trop crevé pour insister davantage. Il s'allonge
sur le matelas, cale l'oreiller dans son dos. Et sourit
(enfin... essaie).

— Un lit, de la bouffe, de la lecture... T'es vraiment la
fille la plus géniale que je connaisse, Lucie !

Je me sens devenir toute rouge. Jamais un compliment
ne m'a fait autant plaisir. Je ronronne :

— T'as même un coin de ciel au-dessus de la tête ! La
nuit, tu pourras compter les étoiles...

Et là, là, il a cette réponse merveilleuse :

— Le rêve, ce serait qu'on les compte ensemble...

Ce n'est pas une déclaration d'amour, ça ? Mon cœur
bat à toute allure, j'ai des frissons dans le dos. Qu'est-
ce que je fais, je me jette dans ses bras ?

Je l'observe du coin de l'œil, j'hésite (à mon avis, il ne demande que ça : suffit de voir comment il me regarde !)... et je me retiens. Dommage pour nous deux, mais ce n'est pas le moment de perdre la tête. Mes parents vont bientôt rentrer, pas question qu'ils soupçonnent quoi que ce soit. Et ça, ça ne dépend que de moi. Il va falloir jouer serré.

Pour commencer, je redescends. Faut que les choses soient comme d'habitude, qu'ils me trouvent en train d'étudier, ou devant la télé. Allez, hop ! Courage !

Je glisse à Hugo (sur un ton plein de sous-entendus) : « À tout à l'heure, je reviendrai dès que je pourrai ! », j'appelle la chienne (qui ne veut pas venir, je suis obligée de la porter) et je redescends. Juste à temps : dix minutes plus tard, la clé de maman tourne dans la serrure.

— B'soir, m'man ! je crie, sans lever les yeux de mon bouquin de maths (hou, l'hypocrite !).

— Bonsoir, ma chérie... Tu as passé une bonne journée ?

— Non, pas trop... Je ne suis pas allée en classe...

Elle interrompt son geste — qui consistait à accrocher sa veste au portemanteau.

— Ah bon ? Pourquoi ?

— Une migraine terrible, ça m'a prise en chemin... Alors, j'ai fait demi-tour et je suis revenue...

— Tu vas avoir tes règles ?

95

— Oui... (j'improvise au fur et à mesure)... et comme cet aprèm on avait gym, j'ai pensé que...

— Je comprends. Maintenant, tu te sens comment ?

— Mieux. J'ai pris du Doliprane et je me suis recouchée jusque vers deux heures... Après, comme j'avais moins mal à la tête, j'en ai profité pour réviser mes cours.

Ce qu'il y a de bien, avec mes parents, c'est qu'ils me font confiance. Faut dire, je leur mens rarement, ils n'ont donc aucune raison de se méfier de moi.

Enfin... je leur *mentais* rarement, parce que depuis quelque temps, hein... Mais ça, ils ne sont pas obligés de le savoir !

— Très bien, dit maman, je mettrai un mot d'excuse dans ton carnet de correspondance. J'espère que, demain, tu seras en pleine forme : je n'aime pas trop que tu t'absentes pour un oui pour un non !

Ouf, voilà un premier problème résolu. Si tout le reste pouvait s'arranger aussi bien, on serait peinards, mon Hugo et moi !

**(SOIR)**

Jusqu'à maintenant, tout marche comme sur des rou-lettes. Je tiens mon rôle à la perfection, papa et maman ne se doutent de rien. La seule qui pose un léger problème, c'est Cosette. Elle sent la proximité d'Hugo et n'a qu'une idée : aller le retrouver. Tout à l'heure, elle n'arrêtait pas de gratter à la porte d'entrée. Comme papa s'étonnait, j'ai rattrapé le coup en prétextant que j'avais oublié de la sortir, l'après-midi, et qu'elle avait sans doute envie de faire pipi.

— J'y vais tout de suite, j'ai ajouté. Ça lui fera deux promenades en une, tu n'auras pas besoin de te taper la corvée, ce soir !

Papa a applaudi : ma proposition lui convenait à merveille !

À peine dans les escaliers, la chienne, au lieu de descendre comme prévu, s'est précipitée vers les étages. Je l'ai rattrapée au quatrième et emmenée de force dans la rue. Au retour, pareil. Là, elle est sur mon lit, le museau entre les pattes, les oreilles toutes plates, et pousse des petits gémissements en me fixant d'un regard implorant.

T'en fais pas, ma pépète, tu le reverras, ton maître. Et pas plus tard que dans pas longtemps !


(22 H 50)

Dire que mon amour se trouve à quelques mètres de moi. Ça me met dans un de ces états, chaque fois que j'y pense !

Et j'y pense tout le temps...

Je suis comme Cosette : moi aussi, y a quelque chose qui m'attire là-haut. Une sorte d'aimant (*aimant*, du verbe aimer !). Depuis des heures, je lutte contre une envie obsédante : courir le rejoindre. Mais pour ça, faut que les parents soient endormis...

Alors, ils se dépêchent, oui ? Y a au moins une demi-heure que le film est fini, et ils ne se décident pas à aller se coucher. Qu'est-ce qu'ils trafiquent encore, à cette heure, dans le salon ?

Ah ! maman se dirige vers la salle de bains. Ce n'est pas trop tôt ! En collant mon oreille contre la porte de ma chambre, je peux entendre le chuintement de la douche. Après, ce sera au tour de papa. Puis ils se mettront au lit, éteindront la lumière... Pourvu qu'aucun d'eux ne se paie une insomnie ! Je me vois mal patienter jusqu'au milieu de la nuit...

Pfff, c'est long, long ! Toute ma peau crépite d'énervement, j'ai de l'électricité partout. Grouillez-vous, les parents, merde ! J'ai pas que ça à faire, moi, de vous guetter à travers la paroi en prenant des notes ! J'ai une histoire à vivre, des baisers à donner, un garçon à serrer dans mes bras ! L'amour à découvrir ! C'est quand même bien plus passionnant !

## (5 H 12 DU MAT)

Ouahou ! J'aime Hugo ! Je l'aime, je l'aime, je l'aime ! Et il m'aime aussi.

Impossible de dormir, je suis trop heureuse. Tout ce dont je suis capable, c'est écrire. Dire, crier, hurler mon bonheur. Et marquer des milliards de fois, sur toutes les pages de mon journal, qu'avec Hugo on s'aime, on s'aime, on s'aime, ON S'AIME !!!

Tout à l'heure, sortir d'ici n'a pas été une mince affaire. Et à cause de qui ? De Cosette, évidemment. Ah, celle-là, quelle catastrophe, quand elle s'y met ! Enfin, ce serait vache de ma part de le lui reprocher : nous sommes toutes les deux dingues du même garçon. Personne au monde ne peut la comprendre aussi bien que moi !

Bref, vers minuit et demi, tout était (enfin !) silencieux dans l'appartement. Je me décide à jeter un coup d'œil dans le couloir. Aucun rai de lumière ne filtre de chez mes parents. Je tends l'oreille : pas de bruit non plus. Je me dis : « Ça y est, la voie est libre ! »

Sur la pointe des pieds, je sors de ma chambre et m'apprête à refermer la porte quand cette andouille de Cosette saute de mon lit et fonce sur moi en jappant. Épouvantée, je retourne illico sur mes pas, attrape la chienne et la fourre sous ma couette.

— Tiens-toi tranquille, je reviens dans un instant !

Peine perdue : mes promesses, elle s'en fout. Ce qu'elle veut, c'est me suivre. Dès que je m'éloigne, elle recommence à s'agiter. Bon, je n'ai pas le choix, faut que je la prenne avec moi. Ça ne va pas faciliter l'expédition, mais finalement c'est sans doute plus prudent. En mon absence, elle serait capable d'ameuter tout l'immeuble...

— Chut ! Tu te tais, hein !

La chienne coincée sous le bras, je repars à tâtons dans le noir. Le passage périlleux, c'est la traversée du couloir : le parquet craque, et pour atteindre l'entrée je dois passer devant la chambre de mes parents. (Si par hasard ils me surprennent, j'ai préparé un alibi béton : je prétendrai que Cosette a soif et que je vais dans la cuisine lui chercher de l'eau.)

Précaution inutile : je quitte l'appartement sans encombre. Une fois sur le palier, je relâche ma respiration — que, durant tout ce temps, j'avais retenue instinctivement. Ouf, la première étape, la plus dure, est franchie !

Cosette se tortille comme un ver, je la pose à terre. Elle file d'une traite vers le sixième. Je la suis, le plus discrètement possible — et en mourant de frousse à l'idée de croiser un voisin. La gueule qu'il ferait, en me voyant pieds nus, en tee-shirt et caleçon, rôdant la nuit dans l'escalier !

La chance est avec moi, je ne rencontre personne.

Parvenue tout en haut, je toque doucement à la porte du studio. Hugo vient m'ouvrir aussitôt. Et alors...

Alors, rien que d'y repenser, je brûle de partout !

Ça se fait tout seul, sans même y réfléchir. Il m'attire contre lui, je me blottis en fermant les yeux. Je sens ses bras autour de moi, son torse contre ma poitrine. Il tremble. Ses lèvres se posent dans mes cheveux, puis descendent, effleurent délicatement mon front, mes tempes, mes pommettes... Je renverse la tête, je lui tends ma bouche. Il la happe. Sa langue si douce, si chaude, s'insinue à la rencontre de la mienne. Son souffle précipité se mêle au mien...

Je ne sais pas combien de temps dure ce baiser : à certains moments, on n'a plus la notion de rien. N'importe quoi pourrait arriver, même la fin du monde, je m'en fiche. Je me sens comme un soleil. Comme un oiseau en liberté. C'est la première fois que j'éprouve une chose pareille. Pourtant, j'ai déjà embrassé plusieurs garçons, avant.

Sauf que Hugo, ce n'est pas un garçon ordinaire. Hugo, c'est mon amour. Et, pour la première fois, j'embrasse mon amour.

Quand le baiser se termine, j'ai les jambes flageolantes. Lui aussi, je suppose, car il m'entraîne sur le matelas. Et là, on recommence, serrés l'un contre l'autre à s'étouffer, et on recommence, et on recommence encore, jusqu'à ce que nos lèvres soient tout irritées.

Quand on arrête, c'est pour se dire qu'on s'aime. Et se caresser en regardant les étoiles.

L'aube est arrivée insensiblement, presque sans qu'on s'en rende compte. Dans la lucarne, on a vu le ciel pâlir, puis devenir tout rose. Ça signifiait qu'il était temps de nous séparer.

Sur un dernier baiser, je me suis éclipsée en emportant la chienne qui se débattait. Elle serait bien restée en haut, elle, si on lui avait demandé son avis. Moi aussi, mais nous n'avions pas plus le droit l'une que l'autre. On a regagné l'appartement en catimini et on s'est glissées dans mon lit. Mais impossible de fermer l'œil — en ce qui me concernait, du moins.

Voilà, c'est aussi simple que ça, aussi magnifique que ça. Il n'y a plus Hugo d'un côté et Lucie de l'autre, mais

Hugo et Lucie ensemble, Hugolucie, Luciehugo, un couple dont l'amour est né une nuit de pleine lune, dans un petit studio sous les toits.

Ma parole, j'ai le cœur sur le point d'exploser de joie !

Les mercredis ont du bon : dodo jusqu'à onze heures. Ça tombe pile poil : je n'aurais pas tenu le coup si j'avais dû aller au bahut aujourd'hui. À peine réveillée, coup de téléphone de Souad. Elle veut connaître la raison de mon absence, si je suis malade ou quoi. En quelques mots, je la mets au courant. Elle en reste baba.

— Pas un mot à personne, hein ! je lui recommande. On est dans l'illégalité complète ! Si les flics l'apprennent, c'est la maison de redressement pour nous deux ! J'exagère, évidemment, mais Souad gobe tout. Au moins, comme ça, je suis sûre de son silence.
Qu'est-ce qu'on risque, au fait ? À vrai dire, je n'en sais rien... et je ne veux pas y penser. Je ne veux penser qu'à mon bonheur.
Je me lève, j'enfile ma petite robe bleue — celle qui me va si bien mais que je ne mets jamais, parce qu'elle **105**

dégage complètement mes épaules ; ma « robe de star », comme dit maman — et j'attache mes cheveux. Dans cette tenue, j'ai l'air d'avoir dix-huit ans, au moins ! Ensuite, je remplis une Thermos d'eau chaude, je fourre deux mugs, le Nescafé, le sucre, des biscottes et du beurre dans un sac en plastique, et en avant pour le septième ciel — enfin, le sixième étage, ce qui revient au même !

Cosette, qui n'attend que ça depuis des heures, me précède à toute allure. Je n'ai pas atteint le cinquième étage que je l'entends déjà aboyer devant le studio. Si bien que, quand j'arrive à mon tour, la porte est entre-bâillée. Je la pousse. Hugo m'attend derrière, les bras grands ouverts.

Retrouvailles. Bisous. Câlins. Mieux que tout ce que je pourrais écrire. Les mots expriment si mal les senti-ments ! Il faudrait en inventer d'autres, des nouveaux, des jamais utilisés, pour donner une idée de ce que j'éprouve...

Le visage d'Hugo va nettement mieux. Il a toujours les yeux marqués, évidemment. Ses lèvres n'ont pas encore retrouvé leur volume normal. Mais bon, il recommence à être beau. Mes baisers y sont peut-être pour quelque chose ?

On s'installe sur le matelas, en plein soleil, pour petit-déjeuner. Il croque mes biscottes, je bois dans sa tasse. On mâche en s'embrassant. Chacun goûte le repas sur la bouche de l'autre. Et Cosette réclame sa part avec des couinements de chiot, toute rayonnante entre nous deux.

— On va quelque part, cet aprèm ?

Hugo est d'accord. Par ce beau temps, il meurt d'envie de prendre un peu l'air.

— Mais faut se méfier des keufs, précise-t-il. Mon père leur a peut-être donné mon signalement...

— Bah, ils doivent rechercher un gars tout seul, pas un couple d'amoureux !

J'ai répondu en rigolant, mais n'empêche, ça me fout quand même la trouille...

On décide de longer le canal Saint-Martin. Pour la chienne, c'est idéal comme parcours. Et en semaine, il n'y a pas beaucoup de monde.

On part, main dans la main, Cosette slalomant entre nos jambes. Une atmosphère d'été règne sur Paris. Il fait chaud, les oiseaux chantent, les pigeons roucoulent en picorant sur les trottoirs. Les passants ressemblent tous à des vacanciers. Même la circulation a un petit **107** air joyeux, avec la musique qui s'échappe des vitres baissées !

Les vaguelettes du canal brillent sous le soleil. On s'assied près de l'écluse, les jambes dans le vide, pour regarder manœuvrer les péniches. Un marinier nous crie : « Salut, les tourtereaux ! » Cosette grogne après les chiens mâles qui veulent venir la renifler et leur aboie dessus s'ils insistent. Hugo se marre en la traitant de « vieille fille rabougrie ».

— C'est aussi bien comme ça, je remarque. Si elle... tac-tac, qu'est-ce qu'on ferait des petits ?

Un moment, j'aperçois un type en uniforme qui vient vers nous. Ni une ni deux, je saute au cou d'Hugo et je l'embrasse à pleine bouche pour cacher son visage. (Je me demande si, dans le signalement, son père a précisé qu'il portait des traces de coup. Ce serait un comble !) Une fois le type passé, Hugo me fait remarquer que ce n'était qu'un contrôleur RATP. On pouffe de rire... et on se réembrasse. Sans prétexte, cette fois, juste pour le plaisir.

On pousse jusqu'à Bastille, puis on rebrousse chemin. Il est plus de six heures quand on arrive chez nous. On se sépare avant de passer la porte cochère — *because*, à cette heure et par ce temps, la concierge prend le frais

devant sa loge ! — et Hugo regagne son sixième pendant que je rentre à la maison.

Voilà. Résumé d'un après-midi inoubliable. Même si je
vis cent ans, je me souviendrai toujours de cette promenade. Hugo, je t'aime ! *Love love love love love love
love love love love love love love love.*


(PLUS TARD)

J'ai téléphoné à Souad pour lui raconter ma fabuleuse
journée. L'arrivée de maman m'a interrompue au
meilleur moment. Pauvre Souad, je l'ai laissée sur sa
faim. Elle doit attendre demain avec impatience, pour
connaître la suite !

Il est onze heures du soir, et je trouve enfin un moment pour écrire. Je suis encore sous le choc des derniers événements et j'ai un peu de mal à rassembler mes idées. Tout a été si vite...

Donc, hier, pendant le repas du soir, Cosette était près de nous, sous la table. En temps normal, elle adore qu'on lui jette des petits bouts de ce qu'on mange. Paraît que c'est une très mauvaise habitude, mais elle est tellement drôle ! Elle fait de telles mimiques pour nous séduire ! Moi, je lui filerais tout le contenu de mon assiette, si je m'écoutais...

Pourtant là, pour une fois, elle se comportait différemment. La bouffe ne semblait pas l'intéresser. Elle couinait sans arrêt.

— Cette bête a un problème... a dit papa, au bout d'un moment.

Il s'est penché vers elle pour la caresser.

**111**

— Qu'est-ce que tu veux, ma belle ? Qu'est-ce qui te dérange ?

Moi, je m'en doutais bien, de ce qui la dérangeait ! C'était de savoir Hugo dans les parages !

Voyant que papa s'intéressait à elle, la chienne s'est ruée vers l'entrée. Il l'a suivie, de plus en plus intrigué. J'ai couru derrière eux.

— Laisse, p'pa, je crois qu'elle est en chaleur ! Je vais aller l'enfermer dans ma chambre !

La chienne grattait frénétiquement à la porte d'entrée.

— Voilà deux jours qu'elle nous fait ça, a murmuré papa, sans tenir compte de ce que je disais.

— Elle est en chaleur ! j'ai répété.

— Non, je ne pense pas, elle n'a pas les symptômes... Par contre, je me demande...

Il a ouvert, sans préciser ce qu'il se demandait. Cosette est partie ventre à terre. Dans quelle direction ? Inutile de se poser la question !

J'ai senti un grand vide en moi. Un grand vide glacé. Comme un gouffre de peur.

— Cosette, viens ici ! j'ai hurlé.

C'est à ce moment-là que maman nous a rejoints.

— Tu sais ce que je crois, Martine ? lui a lancé papa.

— Quoi donc ?

— Qu'il y a peut-être des squatteurs, là-haut, et qu'elle les sent...

Prise de panique, j'ai protesté :

— Des squatteurs ? Pas du tout ! Je suis encore montée tout à l'heure et...

— On voit bien que tu ne les connais pas ! a coupé maman. Dans ce quartier, il suffit qu'un appartement reste vide quelques jours pour se retrouver pris d'assaut ! En quelques instants, ça se fait : un passe-partout, quelques hommes décidés, et le tour est joué. Après, ils s'installent, changent la serrure, et tu peux toujours essayer de récupérer ton bien !

Elle avait l'air affolée, elle aussi — mais pour une tout autre raison que moi. Une raison inverse, pourrait-on même dire !

— Il faut appeler la police, Jean-Marc ! Rappelle-toi les Lebrun : ils sont partis trois mois en reportage au Kosovo, et au retour, qu'est-ce qu'ils ont trouvé ? Des gens tranquillement installés chez eux. Et ils ont eu toutes les peines du monde à les déloger !

— Je vais d'abord aller voir ! a répondu papa.

Il est rentré dans l'appart pour prendre la clé dans le tiroir du bureau, mais elle n'y était plus. Forcément, c'était Hugo qui l'avait !

**113**

Pendant qu'il cherchait, je me suis éclipsée pour courir dare-dare prévenir Hugo. La réaction de papa a été immédiate : il s'est élancé à ma poursuite.

— Lucie, où vas-tu ? criait-il. Ne te mêle pas de ça !

Quand ils sont arrivés au sixième, maman et lui, j'avais juste eu le temps de tambouriner à la porte et de souffler à Hugo :

— Gaffe, voilà mes vieux !

Des aboiements parvenaient de l'intérieur.

Alors là, deux réactions simultanées :

Papa blêmit et souffle : « Ils ont pris Cosette ! », puis donne de grands coups de poing sur le chambranle en gueulant :

— Sortez de là ! Et relâchez ce chien immédiatement !

Maman m'attrape par le bras d'un air soupçonneux :

— Toi, tu sais quelque chose !

Au même moment, Hugo tire le verrou. Je prends brusquement conscience qu'avec son œil au beurre noir il ressemble à un voyou. Alors je me jette devant lui et je crie :

— Attendez, je vais vous expliquer !

Muets d'étonnement, les parents ! Du coup, ils me laissent parler sans m'interrompre.

J'ai mis longtemps à passer aux aveux (trois semaines, exactement !) mais, une fois lancée, plus moyen de m'arrêter. La voix rauque d'émotion, je raconte tout, sans oublier aucun détail : la médaille de Cosette, mes coups de téléphone chez Hugo, nos premiers rendez-vous, les brutalités de son père, notre promenade d'hier, tout. Et surtout, je répète sans arrêt que je l'aime, que je l'aime, que je l'aime. Je le prouve, même, en me blottissant contre lui...

Hugo, un peu pris de court, passe maladroitement son bras autour de mes épaules. Comme ça, on est en position pour affronter nos « juges ».

En fait de juges, papa et maman se comportent super-bien. Je savais qu'ils étaient cool, mais à ce point-là !

D'abord, ils se regardent avec complicité, puis papa dit doucement :

— Nous n'allons pas rester discuter sur le palier, n'est-ce pas ? Si nous descendions ?

— Le dîner est en train de refroidir, ajoute maman dans un sourire. Quand y en a pour trois, y en a pour quatre. Tu aimes le chou-fleur au gratin, Hugo ?

Quelques minutes plus tard, on se retrouve autour de la table. Et, cette fois, Cosette met toute la gomme pour qu'on lui donne des petits morceaux de jambon ! **115**

C'est qu'elle est heureuse, la pépète, avec tout son petit monde autour d'elle : sa queue bat l'air comme un vrai essuie-glace !

Mes parents questionnent Hugo qui leur répond de bonne grâce. Maman va chercher — un peu tard ! — sa pommade à l'arnica. Et moi, je plane.

Jusqu'au moment où papa dit :

— Maintenant, nous allons téléphoner à ton père, Hugo...

Là, je fais un bond en l'air et je sors mes griffes.

— Quoi ?! Non mais ho... ça va pas, la tête ?

— Ça va très bien, au contraire, rectifie papa. Sais-tu qu'en hébergeant un mineur en fugue nous nous mettons, ta mère et moi, en infraction avec la loi ?

— Et alors ? J'en ai rien à cirer, moi, de la loi ! T'as vu ce qu'il lui a fait, son père ? Ça ne te suffit pas ? Tu veux le renvoyer entre ses griffes et qu'il le tue, la prochaine fois ?

— Du calme, Lucie... souffle maman, en me frôlant la joue du bout des doigts, comme quand j'étais petite.

— Il n'est pas question de le « renvoyer entre ses griffes »... reprend papa.

**116**  Hugo lui lance un regard de défi.

— De toute façon, ma décision est prise : je n'y retour-nerai pas. Mais je comprends très bien que vous refu-siez de vous mouiller...

— Laisse-moi parler, l'interrompt papa. Je n'ai pas l'in-tention de te faire courir le moindre risque, et j'irai même plus loin : je trouve que Lucie a très bien agi. La seule chose que je lui reproche, c'est de nous avoir tenus en dehors de l'affaire, alors que nous aurions pu vous être d'un grand secours.

— Drôle de secours ! je grommelle entre mes dents. Je te préviens, si tu flanques Hugo à la porte, je pars avec lui !

— Lucie, ça suffit ! s'énerve maman.

— Je ne le flanquerai pas à la porte, ne t'inquiète pas, poursuit papa. Mais je tiens à ce que la situation soit sans équivoque. Hugo, ton père est ton père et, même s'il te brutalise, il tient à toi. Or, tu as disparu depuis quarante-huit heures. Imagine dans quelle inquiétude il se trouve...

— J'y ai pensé, reconnaît Hugo. Mais mettez-vous à ma place...

— Je m'y mets, bien entendu. Et à la sienne, aussi. Voilà pourquoi je veux le contacter. À la fois pour le **117** rassurer sur ton sort et essayer, avec lui, de trouver une solution acceptable. Sais-tu s'il a averti la police ?

Hugo a une moue d'ignorance.

— Moi, c'est ce que j'aurais fait immédiatement ! signale maman.

— Quand il a émergé, peut-être... hésite Hugo.

Papa décroche le téléphone.

— Donne-moi ton numéro, je vais l'appeler et tâter le terrain.

— Ne lui dites pas où je suis, s'il vous plaît !

— Je te le promets ! C'est toi qui le lui diras, si tu t'en sens le courage.

Tandis qu'Hugo dicte les chiffres à papa, je me rapproche de lui et prends sa main. À la manière dont il serre la mienne, je sens son angoisse. Je voudrais pouvoir le dorloter jusqu'à ce qu'il s'apaise, mais devant mes parents je n'ose pas. Alors, je me contente de lui glisser tout bas :

— T'en fais pas, quoi qu'il arrive, on est ensemble !

Il me remercie d'un pauvre sourire.

Je ne vais pas transcrire mot pour mot la conversation entre nos deux pères, mais il en ressort ceci : M. Grimaldi est malade d'inquiétude depuis que son

fils est parti. Il l'a cherché partout et s'en veut à mort

du mal qu'il lui a fait. Il jure que s'il le retrouve, il ne lèvera plus jamais la main sur lui.

Non, il n'a pas été à la police : ça l'aurait obligé à avouer les faits, et il avait trop honte.

Oui, la fugue d'Hugo lui a servi de leçon. Il se rend compte qu'arrêter de boire est la seule solution.

Oui, il est prêt à suivre une cure de désintoxication.

Comme son père insiste, Hugo finit par accepter de lui parler, et nous nous éloignons pour les laisser entre eux. Puis papa reprend l'appareil et c'est reparti pour un bon quart d'heure. Bilan de la discussion : demain à la première heure, M. Grimaldi prend rendez-vous à l'hôpital. Il y rentre le plus tôt possible, et, jusqu'à la fin de la cure, son fils et sa chienne restent chez nous. Après, ils retournent vivre avec lui, mais à la moindre alerte — si, par exemple, son traitement a échoué et qu'il retombe dans l'alcoolisme et la violence — on les récupère à nouveau.

Voilà. C'est assez positif, comme résultat, je trouve. Même si, au bout du compte, je perds ma chienne, snif ! (En fait, Hugo m'a promis qu'on se la partagerait : un coup chez l'un, un coup chez l'autre... Et comme, de toute façon, on se verra tout le temps, lui et moi !)

**119**

Une fois le téléphone raccroché, Hugo a voulu remercier mes parents, mais il était si ému qu'il a éclaté en sanglots. On l'a tous consolé, chacun à sa manière. Moi, en me pelotonnant contre lui, maman, en sortant la boîte de chocolats des grandes occasions, et Cosette, en lui léchant le visage avec une langue comme une serpillière.

— C'est pas tout ça, Hugo, a conclu papa, mais il va falloir te trouver une chambre, en attendant que ton père soit guéri !

— Ben... il n'a qu'à s'installer dans le studio... j'ai suggéré.

— Au milieu de la poussière et des gravats ? s'est récriée maman. Ce n'est pas très sain !

Papa a eu son drôle de petit sourire.

— Sauf *ssi* on le termine rapidement... Que diriez-vous d'un week-end bricolage, les enfants ? En s'y mettant tous, on devrait pouvoir prendre une jolie avance...

Hugo a relevé la tête, essuyé ses yeux, respiré un grand coup.

— Tout ce qui est menuiserie, je m'en charge ! a-t-il dit.

Papa lui a donné une grande tape dans le dos.

— Excellent ! J'ai toujours été mauvais dans le travail du bois !

Il nous a souri, à maman et à moi.

— Samedi à l'aube, on attaque, mes chéries. Et dimanche soir, *ssi* tout va bien, notre studio sous les toits aura un locataire !

— Et, dans quelques années, qui sait ?, peut-être deux ! m'a soufflé maman à l'oreille.

# TABLE DES MATIERES

## ⟨ GUDULE ⟩

« Je suis née en 1945, à Bruxelles, et l'envie de raconter des histoires est apparue, je crois, dès les premiers intants de mon existence. Cette envie a grandi avec moi et s'est concrétisée, au fil des années, par des dizaines de tentatives de romans non aboutis. Jusqu'à l'année de ma sixième, où enfin – enfin! — mon premier « livre » a vu le jour. Je n'ai plus arrêté depuis. Il n'y a pourtant qu'une quinzaine d'années que cette passion est devenue un métier — c'est-à-dire que je vis, comme on dit, de ma plume.

Le journal intime est un genre littéraire que j'aime tout particulièrement. Non seulement il donne au lecteur l'impression de surprendre des secrets qui ne lui sont pas destinés — ce qui est bien plus excitant qu'une simple lecture ! — mais pour l'auteur, quelle plongée dans sa propre adolescence ! En écrivant *Un studio sous les toits*, j'avais le sentiment d'avoir à nouveau quinze ans... J'ai situé l'histoire dans mon quartier et je l'ai peuplée de personnes de mon entourage qui, sans doute, s'y reconnaîtront. L'anecdote de départ est, elle aussi, réelle : j'ai effectivement acquis, il y a quelques années, un « studio sous les toits » pour ma fille, à sa majorité. Les romans les plus vivants ne sont-ils pas ceux qui prennent racine dans le quotidien de leurs auteurs, c'est-à-dire, à peu de choses près, celui de chacun d'entre vous ? »

Cet
ouvrage,
a été achevé d'imprimer
sur les presses de l'imprimerie
Maury Eurolivres
Manchecourt - France
en mai 2005

Dépôt légal : juin 2005.
N° d'édition : 3097. Imprimé en France.
ISBN : 2-08-16-3097-4
Loi n° 49-956 du 16 juillet 1949
sur les publications destinées à la jeunesse